アイロニーはなぜ伝わるのか？

光文社新書

はじめに

ある晴れた休日、「今日はお出かけ日和だ」と言って意気揚々とAさんが家族をつれてピクニックに出掛ける。ところが、急に天気が崩れて土砂降りになり、「ほんとに今日はお出かけ日和ね」と家族に言われてしまう。Aさんに対する非難のこもったこの発言がいわゆるアイロニー発話と呼ばれるものの典型です。この例の場合には、「アイロニー」に「皮肉」という訳語を当ててもかまいませんが、アイロニーは「皮肉」よりも幅広いカテゴリーの修辞的表現です。

本書では、この「言いたいことの逆を言う」かのようなアイロニーがどうして相手に伝わりうるのかという問題を考えます。これは簡単なようで、意外に困難な課題です。

例えば、先ほどと同じ場面で、家族が「あれ、少し天気が悪くなったみたいね」と発言した場合でも、やはりそれはアイロニーとして機能します。しかし、もしもアイロニーが「言いたいことの逆を言う」修辞技法だとすると、「少し天気が悪くなったみたい」という言葉の逆、つまり、聞き手が復元するべき話し手の真の意図はどういうことになるのでしょうか。「少し天気がよくなったみたい」「少し天気が悪くなったようには見えない」「少しどころではなく天気が悪くなったみたい」など、いくつもの逆が考えられます。しかし、実際にもっとも妥当と思われる解釈は、「天気が悪くなった。それは『少し』どころではないし、『みたい』ではなく明らかに悪くなった」ということでしょう。ここでは二つの否定（「逆」）が働いているようです。だとすると、アイロニー発話の「文字通りの意味」と「隠された意味」とは、より正確には、どう結び付いているのでしょうか。

そこでまず、従来、アイロニーがどのようなものだと考えられてきたのかを概観し、いくつかの説明の納得できる部分と、不充分な点を整理します。これが第一の課題です。

次に、アイロニーをより包括的・統一的にとらえる新たな考え方を提示し、その分析方法を多様なアイロニー発話に適用して、どの程度の説明力があるかを試してみましょう。これが第二の課題です。

第三に、アイロニーは、もちろん、日常的な会話の中に現れるだけのものではありません。劇的アイロニーと呼ばれるものもあるし、運命のアイロニーと呼ばれるものもあります。これらの問題も、言葉のアイロニーを分析することから導き出された手法を使って、今までとは違う角度から光を当ててみたいと思います。

そもそも、「言いたいことの逆を言う」かのようなアイロニーが実際に通じるということは、コミュニケーション全般にも大きな問題を投げかける不可思議な謎です。本書はもちろんその謎のすべてを解き明かすものではありませんが、その謎を解くための一つの視座を提案したいと思います。

アイロニーはなぜ伝わるのか？／目次

第2章　アイロニーのメンタル・スペース構造

第3章　文学作品におけるアイロニー

※凡例

・本文書体と異なる二字下げの文章はアイロニー発話や文学作品から引いた例文である。

・議論の前提・補強などのために論文、著作、その他から引用した文章は本文書体二字下げで示す。

第1章　言葉のアイロニー

1・1　アイロニーとは何か？

言いたいことの逆を言う？

広辞苑は「アイロニー」の第一義を「皮肉。あてこすり。反語」と定義しています。ここでいう「反語」とは「表現面と真に表したい事とをわざと反対にし、しかも真意をほのめかす表現」で、「朝寝坊をした人に『早起きですね』という類」のことです。この定義と例文は、確かに私たちの知る「アイロニー」に典型的に当てはまっているように思われるのですが、詳細に検討すると、不充分な定義であることが明らかになります。

まず、「はじめに」で取り上げたアイロニーの例をもう一度振り返ってみましょう。

ある晴れた休日、「今日はお出かけ日和だ」と家族を誘ってピクニックに行ったところ、急に天気が崩れて土砂降りになる。

するとと家族の一人が言う。「ほんとに今日はお出かけ日和ね」

ここではまさに広辞苑の定義にあるように、「表現面と真に表したい事」とが「わざと反対」にされているようです。発話者の真意は、おそらく「今日はまったくお出かけ日和じゃない」ということでしょう。

しかし、よく似た次の例を見てください。

ある晴れた休日、「今日はお出かけ日和だ」と家族を誘ってピクニックに行ったところ、急に天気が崩れて土砂降りになる。

すると家族の一人が言う。「あれ、少し天気が悪くなったみたいね」

「あれ、少し天気が悪くなったみたいね」という発言もやはりアイロニーに聞こえるのですが、「表現面と真に表したい事とをわざと反対にした表現」とは呼べそうにありません。というのも、これを反対っぽい言い回しにするとなると、「少し天気が悪くなってきたみたいではない」「少し天気がよくなったみたい」「とても天気が悪くなったみたい」などの表現になるでしょうが、どれも少しずつずれて感じられます。そもそも「反対」という言葉も曖昧《あいまい》ですから、今挙げた三つの文のうち、どれが元の発話の正しい反対で、どれが的外れな反対なのか、よく分かりません。

仮に「少し天気が悪くなったみたいね」という発言の「真意」をあえて言葉にするなら、「天気が悪くなった。それは『少し』どころではないし、『みたい』ではなく明らかに悪くなった」ということです。この微妙な二つの否定（「反対」）を、ただ「反対にした表現」と言って済ませると、アイロニーという繊細な修辞の、何か大事なポイントを逃すことになりそうです。

そうだとするなら、アイロニーの定義をかなり抜本的に見直さなければなりません。アイロニー発話の表面的な意味（文字通りの意味）と、その横――あるいはその奥、または裏――にあるように感じられるもう一つの意味とは、正確にはどのように結び付いているのでしょうか。

あるいは、アイロニー発話を受け取る聞き手側から同じ問題を考えた場合、それは次のような問いになるでしょう。すなわち、アイロニー発話から真意を逆算するにはどうすればよいのか、ということです。この問題とまずかかわってくるのは、「語用論」です。

語用論についてはすぐ後でも、詳しく説明しますが、ごく簡単に言うと、人が何かを言ったときの状況や当人の意図を視野に入れて発話行為をとらえようとする考え方です。

説明すべき課題

「アイロニーとは何なのか？」と問うたとき、最低限説明しなければならない課題がいくつかあります。

第一に、アイロニーがいかにして嘘と区別されるのか、という問題です。外出先で雨が降るのを目にしながら「ほんとに今日はお出かけ日和ね」と発言するのは、なぜ嘘ではなく皮肉になるのでしょうか。

第二に、「言いたいことの逆」「言いたいことの反対」というときの、逆や反対をより正確かつ厳密に考え直す必要があります。

第三に、アイロニーの非対称性という問題があります。ほとんどのアイロニー発話は、文字通りにはいい意味で、暗黙のうちに伝わる意味としては悪い意味です。逆に、悪い意味のことを表面上は言っておいて、言外にいい意味を伝える例はほとんど見られません。例えば、汚い部屋を見て「きれいだね」と皮肉を言うケースはありふれていても、きれいな部屋を見て「汚いね」と皮肉を言うケースは考えにくい（後で論じるように、不可能ではありませんが、特殊な文脈が必要になります）。これはなぜなのでしょう。

また、これによく似ているけれども異なる、もう一つの非対称性も存在します。アイロニーはそのほとんどがけなすタイプのもので、ほめるタイプのものはあまりありません。「言いたいことの逆」を言うだけのことであれば、どちらの種類も同じような頻度で現れてもよさそうですが、そんなことはありません。これはなぜなのでしょうか。そして、けなす場合には、けなされる犠牲者が生まれるわけですが、アイロニー発話はどのようなメカニズムで犠牲者を指し示す（特定する）のでしょうか。

第四に、「明言による失効」という現象が挙げられます。例えば、比喩《ひゆ》であれば、「たとえて言うなら」とか「比喩を使うなら」といった前置きがあっても（なくても）比喩の効果が大きく変わることはありませんが、アイロニーの場合は、「皮肉を言わせてもらうなら」「これはアイロニーとして言うのですが」などと明言すると、効果がなくなってしまいます。

アイロニーを統一的に説明する理論は、少なくともこれら四つのポイントを説明できるものでなくてはなりません。

１・２　語用論的アイロニー論

語用論

哲学的な面や修辞学的な面はさておき、言語学的な面から本格的にアイロニーに取り組んだのはポール・グライスが最初と言っていいでしょう。グライスは、語用論の祖とも呼べる人物です。

通常の意味論が「Xという文は何を意味するか」を扱うのに対して、語用論は、「Xと言うことによってYさんは何が言いたいのか」を扱います。意味論で取り上げられる例文のほとんどは、何の文脈もない場所で、誰でもない人が発する文のように扱われますが、語用論では、特定の文脈での発話がその場で何を意味するかが問題となります。

（魔法使いのガンダルフが初めてホビット族のビルボ・バギンズのもとを訪れる場面）

「よいお日和を」とビルボがいいました。そのとおりでした。朝日は輝き、草はさえざえとした緑でした。けれどもガンダルフは、帽子のつばよりも長くつき出たもじゃもじゃの眉毛の下から、ビルボをじっと見つめました。

「それはどういうことかね。わしにとってよい日和だというのかね。わしにはどうでも、よい日和でけっこうというのかね。それともおまえさんが、よい日和で気分がいいというのかね。あるいは、よい日和でいいことがおこりそうだというのかね。」

「そういうことみんなです。その上、こうしておもてでタバコを一服するには、とてもいい日和じゃありませんか……」〈中略〉

ビルボはおちつけなくなり、おまけにすこしばかりむかむかしてきました。

「では、よいお日和を。」ビルボはがまんができなくなって、こういいました。〈中略〉

これでお話はうちきり、というつもりだったのです。

「なんでそんなに、よい日和だと、やたらにいうのかね？」とガンダルフはいいました。

「わしをおっぱらおうというんじゃな？　わしがいなくならないとまずいというのじゃ

な？」

（トールキン『ホビットの冒険』上一四）

ここに引用した「よいお日和を」というビルボのあいさつの言葉が意味するところは、意地悪なガンダルフが指摘するように非常に曖昧です。言葉の真意を問われたビルボが当惑するのも無理もありません。なぜなら、「よいお日和を」の文字通りの意味（意味論的意味）を厳密に突き詰めたとしても、それはビルボの真意（語用論的意味）とはあまり関係がないからです。ビルボが「よいお日和を」と言った目的は、最初の段階では、見知らぬ老人に対して敵意がないことを示すことであり、二度目はおおよそ、「もう話すことはないから向こうへ行ってください」という意図です。

I see friends shakin' hands, sayin' "How do you do?"
They're really saying "I love you."
（友達同士で握手をしながら、「こんにちは」とあいさつしてる、
その言葉の本当の意味は、「アイ・ラブ・ユー」）

（Louis Armstrong, "What a Wonderful World"）

ジャズの王様、ルイ・アームストロングの名曲「このすばらしき世界」にも印象的な一節があります。友人同士の「こんにちは（How do you do?）」というあいさつは、単なるあいさつではなく、相手の体調に関する質問でもなく、その本当の意味は「アイ・ラブ・ユー」というメッセージだというのです。

ある発話を耳にしたとき、実際に発せられている言葉の文字通りの意味と、そこに込められている（あるいはその背後に隠されている）もう一つの意味とが並行して存在しているように感じられることは珍しくありません。

アイロニー発話においては、「きれいだ」という言葉が「汚い」を意味するように見えます。ですから、言葉の文字通りの意味とそこに込められた真意とが極端に対照的になった発話がアイロニー発話だと考えると、語用論的観点からアイロニーにアプローチするのは当然の道筋でしょう。

そこで、次は、グライス的な語用論の分析手段がどんなものかを見てみます。

会話の格率《ルール》

見知らぬ通行人が言う。「今、何時か分かりますか？」

「今、何時か分かりますか？」という発言は、意味論的には「あなたは今の時刻を知っているか？　はいか、いいえで返事をせよ」という意味のはずですが、普通は、「今の時間を教えてください」という意味に解釈されます。しかし、どのようにしてその解釈が行なわれるのでしょうか。発話の文字通りの意味と、そこに込められた発話の意図（含意）との関係をより正確にとらえようとするのが語用論です。

グライスは、会話を成り立たせる基盤として「協調の原理」というものがあると考えました。コミュニケーションを行なう人の間には互いに協力関係があるはずだということです。そして、この原理を具体化する下位ルールとして、グライスは次に挙げる四つの会話的格率を提案しています。

既にこの分野では「原理」の下位ルールとして「格率」という訳語（他に哲学・倫理などの領域で用いられる）が定着しているので、ここでもその慣習を踏襲しますが、少し分かりやすくするために「ルール」というルビを添えることにしましょう（ただし英語の術語としては、rule ではなく、正しくは maxim と言います）。

・**「質の格率《ルール》」**
真実を語り、偽りを言わない。証拠のないことは言わない。
・**「量の格率《ルール》」**
必要充分な量のことを言え。
・**「関係性の格率《ルール》」**
当面の話題と関係のあることのみを言い、話を飛躍させるな。
・**「様態の格率《ルール》」**
あいまいな表現を避け、明確かつ簡潔に秩序立てて話せ。

では、「今、何時か分かりますか？」の例について検討してみましょう。この場合、尋ねられた人が時刻を知っているかどうかという事実そのものが質問者にとって重要だとは普通は考えられません。つまり、この質問者は「はい、分かります」というだけの返事を期待しているとは思えません。質問者が**「関係性の格率《ルール》」**を守っているとするなら、当人に関係のないことを尋ねるはずがないからです。ですから、次の段階の解釈として、質問された人物が時刻を知っているかどうかが質問者にとって重要な関与性を持つ文脈情報――すなわち、「質問者が時刻を知りたがっている」という情報――が伝わることになるのです。

このように、話し手が会話の原理を守っていると考えられる場合に、言外に伝えられていると聞き手が推測する情報を、グライスは「会話の含意」と呼びます。表面上はかみ合っていないように思われる現実のさまざまなコミュニケーションが適切に機能するのは、会話の含意が存在するからだと考えられます。

つまり、発話の文字通りの意味と文脈とを併せ考えて、含意（真意）が算出される論理を追究しようとするのが語用論という研究領域です。

語用論の限界

語用論的に見ると、アイロニー発話は、発話者が真実ではないと思っている事柄をわざと言っているわけですから、**「質の格率《ルール》」**に違反する発話です。聞き手は、それを聞いて、**「質の格率《ルール》」**違反に気づくと同時に、アイロニーを検知し、発話者の真意を逆算するのだ、と語用論は考えます。

ところが、アイロニーに限らず、嘘を言う場合でも、冗談でふざけて言う場合でも、勘違いに基づく発言であっても、**「質の格率《ルール》」**の違反は生じるので、アイロニーの解釈のためにはさらなる精密化が必要となります。この線に沿ったアプローチはいろいろと試みられているものの、まだ充分に説得的な理論を構築できていません。

そもそも、グライスの言う会話の格率《ルール》は、通常の効率的伝達において働く決まりであって、嘘や冗談やアイロニーを分析するものとして構想されたのではありません。ですから、格率《ルール》や原理をさらにいくつか増やしたり（例えば「丁寧さの原理」など）、解釈の際の格率《ルール》の適用順を考えたりしたとしても、この角度からアイロニー発話の本質に迫るのは困難に思えます。

そこで、アイロニーとは直接関係のないやり取りを二つ見てみましょう。

①Aさん　「今日は何する？」
　Bさん　「今日は頭が痛いんだ」

②Aさん　「今日は何する？」
　Bさん　ポケットから頭痛薬を取り出してみせる

②の場合、Bさんは返事をするのに言葉の一つも発してはいませんが、このやり取りで、BさんがAさんに頭痛薬を見せたことのジェスチャー的な含意は、おそらく①の「今日は頭が痛いんだ」という言葉の含意に近そうです。とはいえ、その意味は具体的にどういうことになるでしょうか。「今日は何もしない」ということでしょうか、「できるだけ何もしない」ということでしょうか、「できるだけする」ということでしょうか。

このしぐさがグライスの会話の原理と格率《ルール》に従ったものだとしても、その含意が一意的に決められるとは思えません。この例からも分かるように、グライス的語用論は、確かに、コミュニケーションの原理の重要な側面を明らかにしているものの、会話の含意を算出する具体的な計算法を手に入れているわけではないのです。

1・3　アイロニーのこだま理論

使用と言及

「アイロニーはこだま的言及である」という有力な考え方――略して、アイロニーの「こだま理論」――があります。ここからは、この理論について検討してみましょう。まずは、こだま的言及と言うときの言及という言葉の意味を確認しておきたいと思います。

言語哲学的に言うと、言葉の使い方には、使用と言及という二種類があります。「三角形は三辺を持つ」と言うときには、「三角形」という語が普通の意味で用いられていて、このような場合、ある語が使用されていると言います。他方で、「三角形は三文字から成る」と言うときには、「三角形」という語は、記号としての言葉そのものが指し示されていて、この場合、話し手はある語によってその記号に言及しています。より平たく言うなら、語を普通に使う場合を使用と呼び、語をいわば引用符付きの形で使う場合を言及と呼ぶということです。

次に引用する、かなり下品なジョークはその分かりやすい例を見せてくれます。

バーに客が一人座っていてウィスキーを飲んでいる。猿が一匹、カウンターの上を踊りながらやってきて、客のグラスのところで止まると、睾丸《こうがん》をそれで洗い、また踊りながら行ってしまう。ひどく驚いた客はウィスキーを取り替えるよう命じる。猿はまた戻ってきて、同じことをする。客は怒り狂ってバーテンに訊く。「あの猿がなんで俺のウィスキーできんたまを洗うのか、おまえ知ってるか」。バーテンは答える。「さあ、わかりませんね。あちらのジプシーにでも言ってくださいよ。あいつなら何でも知ってますよ」。客がそのジプシーの方を向いた。ジプシーはバーの中を歩き回り、バイオリンと歌で客をもてなしていた。「なんであの猿が俺のウィスキーできんたまを洗うのか、おまえ知ってるか」。ジプシーは落ち着き払って答えた。「ええ知ってますよ」。そしてジプシーは暗い悲しい歌を歌いはじめる。「なんであの猿が俺のウィスキーできんたまを洗うのか、ああなんで……」――もちろんジプシーの音楽家は、歌をいくらでも知っていて、それを客のリクエストに応じて歌えると思われているというところが肝要だ。だからジプシーは客の質問をウィスキーで睾丸を洗う猿のことを歌った歌をリクエストしたものだと理解したのである……。

（スラヴォイ・ジジェク『幻想の感染』七五‐七六）

「なんであの猿が俺のウィスキーできんたまを洗うのか」というフレーズを、語の使用と考えた場合、その原因・理由を問う疑問文だと解釈されます。それが通常のケースでしょう。しかし、同じフレーズが言及として使われる可能性も常にあります。たとえば、どんな歌でも知っているジプシーの歌手がそれを歌のタイトルとして受けとった場合には、「♪なんであの猿が……♪」とリクエストされた歌を歌いだす可能性もあるのです。「なんであの猿が……するのか？」という疑問も、それに対する答えも、この歌手にとっては無関係です。

こだま的言及理論によれば、アイロニー発話についても同じことが言えます。皮肉を言う人は、普通の意味で言葉を使用しているのではなく、その言葉に言及しているのです。「ほんとに今日はお出かけ日和ね」と皮肉を言うときには、普通の意味で言っているのではなく、

「ほんとに今日はお出かけ日和だ」という発話に言及しているのであって、実際にその場の天気がよいか悪いかは関係がない、ということです。

引用としてのアイロニー

話し言葉の場合、皮肉の含意を合図するアイロニー標識としてしばしば用いられるものには、ウィンク、独特な抑揚、大げさなジェスチャーなどがあります。書き言葉の場合なら、最近は、「……（笑）」「……w」とか、「……:)」や「……:D」といった感情記号がアイロニー的意図を明らかにしているケースを見かけることが多くなりました。過去の歴史においては、感嘆符（！）や疑問符（？）にならって、分かりやすいアイロニー符を作り出すことが検討されたこともあります。

アイロニーを合図するそうした記号の一つに引用符（日本語なら「……」、英語なら“…”）があるのは興味深い事実です。次に転載する「アイロニー禁止区域」というユーモラスなポスターでは、「駐車禁止」のような取り消し記号と引用符を用いて、「アイロニーの禁止」が表されています。（図１）

図1　「アイロニー禁止区域」のポスター図案

(http://www.petercashwell.com/journal/2010/08/ironically_enough.html)

「ほんとに今日はお出かけ日和ね」という皮肉も、例えば、「ほんとに『今日はお出かけ日和』ね」と表記すると、「今日はお出かけ日和だ」と言っていた人物への当てつけがはっきりとして、アイロニー的な意図が明確になります。

　少し考えてみれば、アイロニーは確かに、しばしばこのような引用符付きのものとして感じられます。私たちがアイロニー発話を受け取るとき、話者が本人として発話しているのではなく、誰かの言葉を引用して話しているように聞こえることがあります。前項の話の続きで言うなら、先行発話に言及しているように聞こえる、ということです。

「ほんとに今日はお出かけ日和ね」という発

話は、その前にあった「今日はお出かけ日和だ」という発話に言及しているようです。しかし、事情はやや微妙で、それは正確な引用である必要はありません。「ほんとにお出かけ日和ね」と言う代わりに「青空が気持ちいいね」と言ってもかまいません。こうして、既になされたある発話（先行発話）を、批判的な距離を置きながら繰り返す（こだまする《エコー》）のがアイロニーだと考えるのが、アイロニーのこだま理論《エコー》です。

こだま理論によれば、発話者が、批判的な距離を置きながら、先行発話（またはそれと同じ意味の内容）をこだましていればアイロニーが生じるということになります。

社会的期待

具体例を見ましょう。

①ミスをした部下に上司が言う。
「君はほんとに仕事ができるね」

①の上司の皮肉には、「君は仕事ができるね」という先行発話はありませんから、単純な

こだまと考えることはできません。ですので、この種のアイロニーは、普通のこだまと区別し、他に依存していないという意味で、自生的アイロニーと呼ばれます。では、自生的アイロニーは何に言及し、何をこだましているのでしょうか。

こだま理論は、この疑問に対してこう答えます。「自生的アイロニーが言及しているのは、社会的通念や一般的期待や規範だ」と。確かにこの例では、その説明が当てはまるようです。

しかし、②の例はどうでしょうか。

②刑事「刑務所での暮らしはどうだった？」
　元受刑者（皮肉で）「ええ、とても快適でしたよ」

元受刑者の皮肉には、「刑務所はとても快適だ」という先行発話が存在するとは思えません。では、「刑務所はとても快適である」という一般的予想や社会的期待が存在しているでしょうか。そのような可能性はなさそうです。しかし、このような自生的アイロニーは決して珍しいものではなく、むしろよくある種類のものです。

②の皮肉が何らかの期待に言及しているのだとすれば、それは、刑事の質問が前提として

いる期待でしょう。そもそも、刑務所の暮らしが快適なはずはありませんから、「刑務所での暮らしはどうだった」と尋ねること自体がばかげています。そのような質問が成り立つのは、「楽しかった、快適だった、つらかった、不自由だった」などの選択肢から多様な答えが選べる場合に限られます。ですから、受刑者の皮肉の矛先にあるのは、「楽しかった、快適だった」という答えを期待しているかのような、無神経な刑事の質問なのです。

ですが、こだま理論は、このような期待について充分に掘り下げて議論してはいません。先行発話あるいは社会的規範から導き出される期待という要素には、さらに細かく検討する余地が残されています。

1・4　ほのめかし理論

期待のほのめかしと語用論的不適切性

こだま理論の抱えるもう一つの問題は、アイロニー発話の語用論的不適切性を説明できないことです。皮肉な発話は常に、文字通りに解釈するとおかしなことになります。語用論で言う「質の格率《ルール》」の違反を含め、アイロニーはいつでも語用論的ルールからの逸脱を伴います。

例えば、嘘の場合、それは真実に反することを聞き手に信じさせようとする発話ですから、質の格率《ルール》に違反する（本当はAのものをBだと言う）のは当然のことだと私たちは納得できます。しかし、アイロニー発話が何かをこだまするものだったとしても、なぜいつもそれが語用論的なルールに違反するのか、この理論は何の説明も与えてくれません。

こだま理論を修正した考え方がこれまでに複数提案されていますが、その一つ、ほのめかし理論によると、アイロニーの特性は二つになります。一つは語用論的な不適切性、もう一つは、ある事柄に関する期待のほのめかしです。

具体的に、「はじめに」でも取り上げた「ほんとに今日はお出かけ日和ね」の例で確認してみましょう。こう発言した人物は現実の土砂降りを見ながら「お出かけ日和ね」と言っているのですから、明らかに、真実を語れという質の格率《ルール》に違反しています。そして同時にこの発話では、お出かけ日和な天気が期待されていたことがほのめかされています。

聞き手の思考の流れを考えてみましょう。聞き手はそのようなアイロニー発話を耳にしたとき、まず、それが文字通りには解釈できないことに気づく。次にアイロニーの可能性を考える（もちろん、勘違いや嘘の可能性も考えるでしょう）。その次の段階として、何かの期待がほのめかされていると判断してアイロニーの解釈が成立する、という流れになります。

この考え方の問題は、「なぜアイロニーはこの二つのものから構成されているのか」ということを突き詰めて考えていない点にあります。こだま理論は語用論的逸脱という現象をほぼ無視していたので、ほのめかし理論は「アイロニーは必ず語用論的逸脱を伴う」という一つの要件を付け足したわけですが、それは単に、いろいろな発話で観察された事実からそう結論しただけで、例えば通常、何かをほのめかす場合、いつも語用論的逸脱が起きるとは限りません。上司が部下に、「田舎の空気は好きか?」と尋ねて、言外に左遷をほのめかしても、それはアイロニーとは思えませんし、語用論的な面で明らかに不適切な部分があるとは感じられません(よほど唐突に尋ねれば、無関係なことは話すなという関連性の格率《ルール》に反するでしょうが、特に当たり障りのない世間話にも思えます)。

嘘を言う場合であれば当然、語用論的な不適切性が伴います。では、アイロニーの場合にはなぜ一つでなく二つの要素が絡むのか。そして、語用論的な不適切性と期待のほのめかしの二つが必ず伴うのだとして、両者の間にはどのような関係があるのか。なぜアイロニーではその二つがセットになるのか。この疑問に答えを与えない限り、アイロニーの説明は不透明なままです。

何らかの形で、アイロニーのこだま的な部分(期待のほのめかし)と語用論的逸脱という部分とを一つの原理で一挙に説明することは無理なのでしょうか。それができれば、もっと話がすっきりするはずです。ですから、アイロニーの全体像を見るためには、もっと別の角度から迫ってみましょう。

１・５　偽装理論

エイロネイアー

「アイロニー」の語源となった古代ギリシア語の「エイロネイアー」はもともと「偽装」(dissimulation) を意味していました。いかにして「偽装」が、現在私たちが言う意味の「アイロニー」や「皮肉」に結び付くのか、については、日本のアイロニー研究の第一人者、河上誓作が用いる説明が分かりやすいでしょう。河上によると、アイロニーの基本構造は、枝とシャクトリムシとそれを見る第三者との関係に例えられます（河上　三五三）。

シャクトリムシは、枝そっくりの格好をして、擬態（simulation）を演じます。つまり、シャクトリムシは、一種の嘘をついて、外敵から身を守っています。他方で、例えば私たち人間は、シャクトリムシの擬態を見破りながら、しかも、そのよくできた外観に調子を合わせて「ほお、見事な枝だなぁ」と、相手をからかいます。こうして、「見抜いていながら知らないふりをする」のが「偽装」(dissimulation)です。

特に「故意に無知を装うこと」という意味の「アイロニー」は、今日では「ソクラテス的アイロニー」と呼ばれます。もちろんこれは、無知を装って人に教えを請い、次々に質問を浴びせ、最終的には相手の無知を明らかにするという対話法を用いて「無知の知」を説いたソクラテスにちなんだ命名です。

ソクラテス的アイロニーの要点は、次に引用する佐藤信夫の説明が大変分かりやすいものとなっています。

はやい話が推理小説の名探偵にもよく見られる手口で、あれはやはり誘導尋問のひとつの型であろう。当方は何ひとつ知らぬゆえ、という空っとぼけで質問をする。それがおおむねイエス＝ノーの答えを要求するようなかたちの問いかけであって、ひとつの質問に答えるとそれがイエスかノーかに応じて次の質問へ連結し、それが累進していつのまにかソクラテスの思う壺となる。

（佐藤信夫『レトリック認識』二二六）

とはいえ、現在、アイロニーと一般に呼ばれているものの典型は、ソクラテス的なものではなく、「言いたいことの逆を言う」かのような修辞《レトリック》的表現で、例えば、大雨が降っているのに「いい天気だね」と言うタイプのものです。しかし、この場合のアイロニーも、雨が降っていることを知りながら、それに気づいていないふりをしているわけですから、「見抜いていながら知らないふりをする偽装」という点ではつながっています。

「見抜いていながら知らないふりをする偽装」というアイロニーの定義は、一見すると、これだけで、すっきりしていて正確であるようにも思えます。次はこの視点からアイロニーを見てみましょう。

ふりをする

こだま理論が扱うことのできるアイロニーの種類を、わずかと見るか、多いと見るかは意見が分かれるでしょうが、それが限られたものであることは間違いありません。

そこで、こだま理論に対抗して提唱されたのが、偽装理論です。偽装理論によると、アイロニー発話者は、愚かなふりをしているのです。

より詳細に見るとこうなります。AがBにアイロニーを言うとき、Aは自分の立場で自分の考えを述べるのではなく、自分よりレベルの低い（愚かな）aという話者になりきって、しかも、自分（a）と同じように愚かなbに向かって、語りかけます。Bは、愚かなbが理解するであろう内容を一段上のレベルから解釈し直します。

具体的な例で見ましょう。


太郎は本当に読書家だ。シェイクスピアという名前まで知っているんだから。


この発話は、こだま理論で説明することも可能です。例えば、「僕は読書家だ。シェイクスピアっていう偉い劇作家の名前も知ってるんだ」といつも太郎が自慢しているという文脈があれば、この発話はこだま的なアイロニーになります。

また、この例は偽装理論でも説明することができます。愚かな人であれば、シェイクスピアの名を知っているというだけでも大変な読書家のように思うでしょう。ですから、発話者は、愚かな人のふりをして、太郎の読書家ぶりに真剣に感心してみせる。しかし、それは本心から感心しているわけではありません。聞き手も同様です。聞き手は、相手の言葉を、「何をばかなことを言っているんだ」とはねつけるのではなく、「なるほど、そうだそうだ」と真剣にうなずくような愚かな聞き手をイメージしながら、そんな仮想的聞き手を冷めた目で見下しています。

偽装理論は、このように、「ちょっとした腹話術のような形で〝愚か者のふりゲーム〟をするのがアイロニーだ」と言います。確かに、偽装理論の説明には、アイロニー発話者の意識に近いものがあるようにも思われます。私たちが皮肉を口にするとき、既に分かっていること、知っていること、見えていることを無視して、分かっていない、知らない、見えないふりをすることがあります。

では、偽装理論とこだま理論とどちらに分《ぶ》があるのでしょうか。「太郎は本当に読書家だ。シェイクスピアという名前まで知っているんだから」という発話は、「いつも太郎は自分が読書家だと自慢している」という先行文脈（つまり、こだまの言及先）がなくても、アイロニーとして成立するように思われます。だとするなら、偽装理論の方が高い説明力を持っていることになります。

もう一つ、既に取り上げた例で比較してみます。激しい雨が降りだしたときの「ほんとに今日はお出かけ日和ね」というアイロニー発話は、先行する「今日はお出かけ日和だ」という発言のこだまとも考えられますし、雨が降っているのが分かっていないふりをする偽装と考えることも可能です。

しかし、「あれ、少し天気が悪くなったみたいね」という皮肉は、どうでしょう。これが先行発話のこだま的言及、あるいはこだま的解釈だとするのはかなり強引な議論に思われます。一方、激しい雨が降りだしたことがろくに理解できていないふりをしているのだと考えるのは説得力があるように感じられます。

こうしていくつかの例を見てみると、こだま理論よりも偽装理論の方がより高い説明力を持っているようです。

偽装理論の問題点

「飢えた人々のことは無視しよう、そうすれば、そのうちいなくなるから。」

（一九七〇年ロンドンの救済基金の標語）

この過激な呼びかけは、明らかにアイロニーですが、こだま理論では説明できそうにありません。このこだまの元になる発言をする人物が実在するとは考えにくいからです。ましてや、世間に広まっている社会的な期待をこだましているとは思えません。もちろん、現代（二〇一〇年代）においては、極端に排斥的、差別的なヘイト発言を見かけることが珍しくありません。ですが、貧しい人のことを気に懸けない人が仮に多いとしても、「彼らはそのうちいなくなるから無視しよう」というあからさまな発言を耳にしたことのない私でも、これはアイロニーだと判断できます。

では、このアイロニーを偽装理論で説明できるでしょうか。偽装理論によると、発話者は愚かなふりをしていることになるのですが、「飢えた人々のことは無視しよう」ということを口にするのは果たして愚かな発話者なのでしょうか。この場合は先の、シェイクスピアという名前を聞いただけで「すごい」と思ってしまう愚かな人（知識がない人）とは違って、愚かというより「狂った」「倫理にもとる」「異常な」という形容の方がふさわしいのではないでしょうか。

問題はそれだけではありません。「狂った」ふりをしてしゃべったり、「異常な」ことをわざと口にしたからといって、それが直ちにアイロニーになるはずはなく、狂ったように見えたり、異常なことを口走っているように聞こえるだけという場合が大半になるでしょう。同じことは、「見抜いていながら知らないふりをする偽装」の場合にも言えます。

例えば次の例がそうです。

A：1足す1は？

B：5。

こんなふうに、「1足す1は？」と聞かれて、答えが分かっているのに「5」と答えるのは、「愚かなふり」ではあっても、アイロニーにはなりません（厳密に言うと、この応答をアイロニーにするような文脈はありえますが）。

結局、アイロニー発話者は、しばしば何かのふりをしているように思われるものの、具体的に何のふりをしているのかを突き止めようとすると、すぐに限界が見えてしまいます。

現在までに、アイロニー発話の説明として、こだま理論と偽装理論が有力なものとされてきたのは意味のないことではありません。そこで、見方を逆転してみましょう。アイロニーがときにこだまのように響き、アイロニー発話者がときに何かのふりをしているように見えるのは、アイロニー発話の本質ではなく、それに伴う副作用のような現象だと考えることはできないでしょうか。アイロニーはこだまではないし、発話者は何かのふりをしているわけではない。しかし、アイロニーの統合的な理論は、こうしたアイロニーのこだま性と偽装性、そしてさらに語用論的逸脱という現象をすべて含めて説明できるような枠組みを持っている必要がある、と考えるのです。

以下では、この条件を念頭において、まったく別の角度からアイロニーを眺めてみたいと思います。

第2章　アイロニーのメンタル・スペース構造

2・1　メンタル・スペース理論

幻のスーツケース

広場を横切ってホテルへ歩いていくと、すべてのものが新しく変わって見えた。いままでこんな木立ちを見たことがなかった。旗竿《はたざお》も、劇場の正面も、いままでとはちがって見えた。すっかりちがっていた。いつか、よその町でフットボール試合をやって家へ帰ってきたときに経験したような気分だった。フットボールの道具を入れたスーツケースをぶらさげて駅から歩きだすと、生まれてからずっと住んでいる町の通りなのに、すべてが新しく見えた（中略）。ホテルの階段をのぼるときも同じ状態だった。長い時間をかけて階段をのぼりながらも、スーツケースをぶらさげているときと同じ気分だった〈中略〉。ぼくはスーツケースをぶらさげて、階段をのぼり、廊下をコーンの部屋まで歩いていった。ドアが閉まっていたのでノックした。

「だれ？」

「バーンズだ」

「はいってくれ、ジェイク」

ドアをあけて、なかへはいり、スーツケースを下においた。部屋には灯りもついていなかった。


（ヘミングウェイ『日はまた昇る』二七七‐二七九）


『日はまた昇る』の有名な一場面で、ジェイクはフットボールの試合帰りのような新鮮な気分を味わいながら、幻のスーツケースを持って階段を上がり、友人の部屋に入ってからそれを床に置きます。

このスーツケースは、現実空間のどこにも存在しないのですが、小説の語りの空間には存在しています。では、なぜ語りの空間に存在することが可能なのかといえば、（当たり前のことですが）スーツケースがジェイクの頭の中には確かに存在しているからです。

このことを別の言葉で言い換えるなら、スーツケースは客観的な現実空間には存在しないが、ジェイクの主観的な現実空間には存在する、ということです。もちろん、ジェイク自身は病的な妄想を抱いているわけではありませんから、この二つの現実空間を混同してはいません。ですから、彼の頭の中には、「現実」を再現・表象している二種類の空間が並存していることになります。このような空間は、心の中に存在するものですから、「心的空間《メンタル・スペース》」と呼ぶことができます。

私たちが考えることのすべては、基本的に、頭の中の表象の操作そのものだといってもよいでしょう。そこには、当人が「これこそが現実だ」と考えている出来事や事物の総体としての「現実」の表象があったり、客観的な現実とは区別して自分が信じている因果関係や現状把握の総体としての「信念」の表象があったりするだけではなく、どこかのファストフード店のメニューの一覧や、今までに見聞きした小説や映画の物語などまでが、それぞれのまとまりをなして存在しています。

そうした心の中の表象が存在する「空間《スペース》」の性質を明らかにし、一つの「空間」と別の「空間」との間にある関係を分析することで、ある種の文学的表現だけではなく、アイロニーを含む日常的な言葉のあやの謎に接近することができます。この観点を持った認知言語学的アプローチの代表がメンタル・スペース理論です。

先のスーツケースの例では、スーツケースと現実とジェイクの回想（空想？）という三つが微妙に絡み合っているわけですが、それを整理するために二つのスペースの関わりとして全体を見てみます。ジェイクの頭の中のスペースにはスーツケースがある、けれども、現実というスペースにはそれに結び付くものはない（すなわち、それが無という対象に結び付いている）、という具合に考えるわけです。

ここからはまた少し抽象的な話になるので、「無」が絡むことで話をややこしくしてしまうヘミングウェイのスタイリッシュな表現ではなく、もっと笑える、滑稽なやり取りを例にとって考えてみましょう。

メンタル・スペース

アメリカ文学の古典『ハックルベリー・フィンの冒けん』の物語が本格的に動き出すのは、ハックがある偽装工作をし、専制的なアル中の父のもとを離れて、家を出るときです。ハックは、自宅のドアを壊し、床にブタの血をまき、そこから川まで死体を引きずったような跡をつけ、まるで自分が殺人事件の被害者になったかのように見せかけます。ハックは、最初に隠れたジャクソン島で、友人トム・ソーヤーの家から逃げてきた奴隷のジムと偶然に出会い、次の会話が交わされます。


〈ハックルベリー・フィン〉「え、おまえいつからこの島にいるの？」

〈逃亡奴隷のジム〉「あんたがころされたつぎの夜に来たよ」

「なに、それからずっとここに？」

「そうだともさ。〈中略〉あんた、いつから島にいる？」

「おれがころされた夜からだよ」


（『ハックルベリー・フィンの冒けん』八〇 - 八一）

ハックとジムは「ハックが殺されたことになっている夜」のことを「ハックが殺された夜」と呼んでいるために、この一節には独特なユーモアが漂っています。しかし、何も真相を知らない世間から見れば、それは「ハックが殺された夜」に違いありません。ここには、二つのものの見方が共存していて、片方には殺人事件、他方には偽装工作があると考えるこ

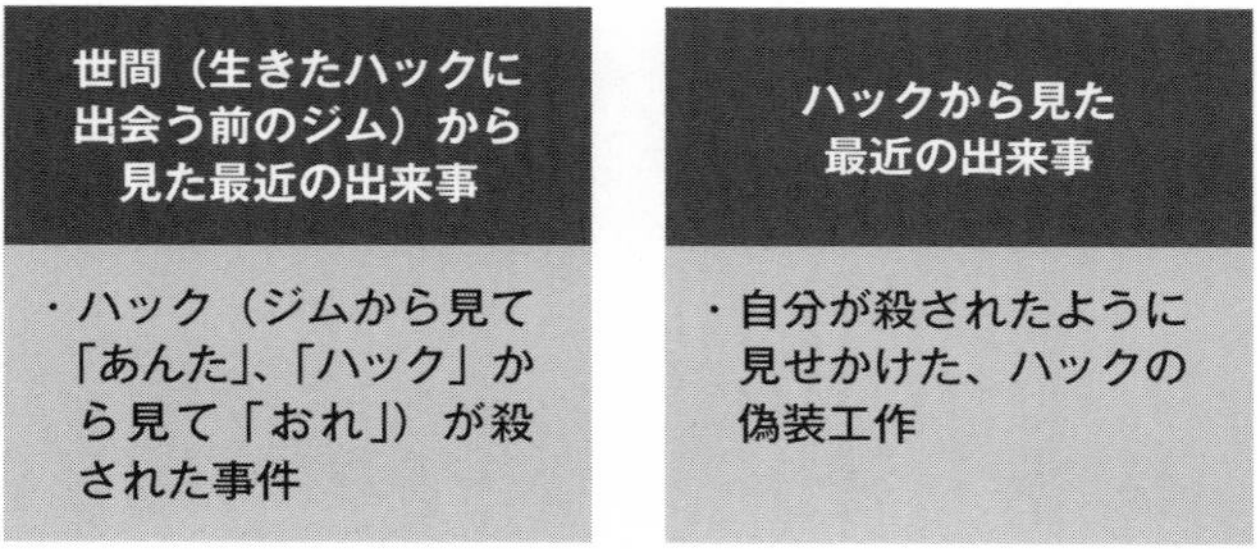

世間（生きたハックに出会う前のジム）から見た最近の出来事	ハックから見た最近の出来事
・ハック（ジムから見て「あんた」、「ハック」から見て「おれ」）が殺された事件	・自分が殺されたように見せかけた、ハックの偽装工作

図2　二つのものの見方の共存

とができます。（図2）

このような一種の省略語法のようにも見える表現はやや特殊な例に見えるかもしれませんが、実際にいろいろな日常の場面でも用いられています。

例えば、レストランで店員が「カツ丼が勘定を払わずに逃げた！」と言うときには、「カツ丼を食べた客」のことを「カツ丼」と呼んでいることになります。

次の文も、原理的には「カツ丼」と変わりません。

> 『ミッション：インポッシブル3』の冒頭では、既にスパイを引退したトム・クルーズが、教官としての仕事をしながら婚約者と幸せな生活を送っている。

『ミッション：インポッシブル3』というのが映画のタイトルであることを知らない人、あるいはトム・クルーズが人気

映画『ミッション：インポッシブル3』内の物語	現実
・スパイであるイーサン・ハント	・役者であるトム・クルーズ
・イーサン・ハントは婚約者のいる教官	・トム・クルーズは数度の結婚経験者

図3　物語と現実との結び付き

俳優であることを知らない人がこの説明文を読めば、まるでトム・クルーズが元スパイであるかのように思えるはずです。ここでは、「俳優トム・クルーズが演じる配役イーサン・ハント」（映画空間の中の人物）のことを「トム・クルーズ」（現実空間の中の人物）と呼んでいるわけです。（図3）

これらの「A（トム・クルーズ）という言葉を用いて、それと関係するB（イーサン・ハント）を指し示す」タイプの表現を一般化して分析する手法として有力なのがメンタル・スペース理論と呼ばれるものです。

メンタル・スペース理論は認知言語学者のジル・フォコニエが確立したもので、ここでいう心的空間《メンタル・スペース》とは談話理解のための心的な表象空間のことです。そう言うと非常に抽象的に聞こえますが、もっと具体的な例を見れば、理解は容易です。

例えば、リサという女の子が青い目を持っていて、他方で、

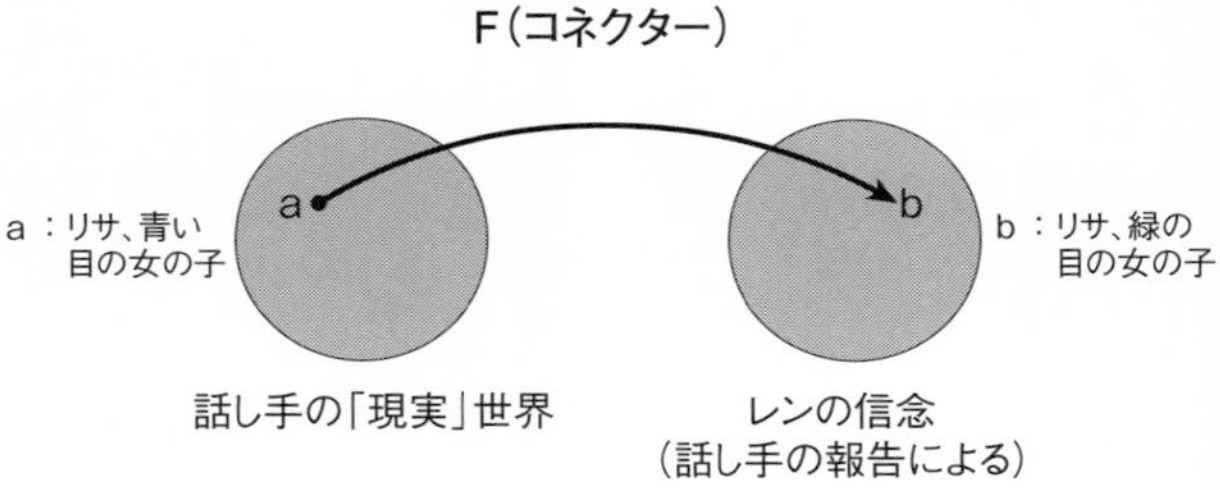

図４　『メンタル・スペース』（18）の図1.7を基に作成

レンという男の子はリサの目が緑色をしていると思い込んでいると仮定しましょう。何の文脈もない場面で、「その青い目の女の子は緑の目をしている」と誰かが言えば、それは明らかに矛盾した発言になってしまいますが、ここに「レンの心の中では」という語句を付け加えると事情は変わります。「レンの心の中では、その青い目の女の子は緑の目をしている」と言えば、矛盾は消えます。この現象を説明するには、一方に「話し手の『現実』世界」というスペース、他方に「レンの信念」というスペースを置き、そのそれぞれに存在する青い目のリサ（ａ）と緑の目のリサ（ｂ）が何らかの関係で結び付いていると考えるとすっきりします。ａとｂとを結び付けているものをコネクターと言います。フォコニエはそれを次のように図示します。（図４）

この図式はメンタル・スペースに関わる多様な現象を記述するには便利なのですが、私たちの目的には必ずしも適して

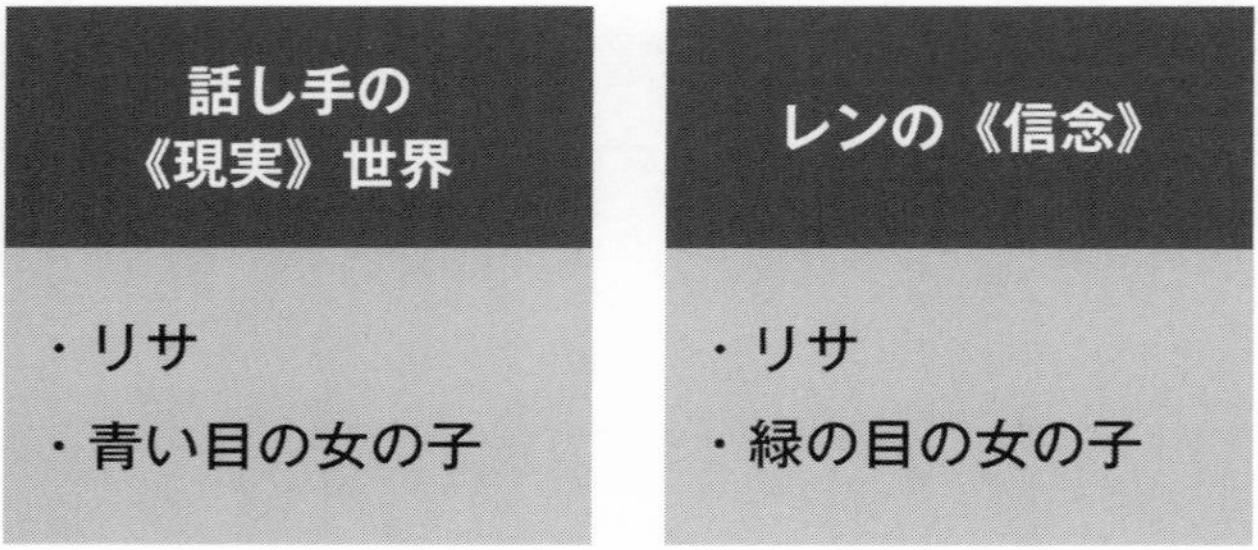

図5　《現実》の世界とレンの《信念》

はいないので（コネクターはいつも一本で、二つのスペースの間で対応するものは明らかですから）、ここでは同じことを次のように図示することにしましょう。（図5）

『ハックルベリー・フィンの冒けん』のケースでは、世間から見た現実における「ハックが殺された」ことと、ハックとジムだけが知る本当の現実における「ハックが偽装工作をした」ことがコネクターで結ばれていると考えるのです。ここに図を少し変えて再掲します。（図6）

コネクターには、先に見た「客＝注文品」コネクター、「俳優＝配役」コネクターの他にも、画像や絵と現実の人物を結び付ける「画像《イメージ》」コネクターなど、さまざまな慣習的なものがあります。

画像コネクターを使った文学的な遊び

ここで少し脱線して、画像《イメージ》コネクターを使った文学的な遊

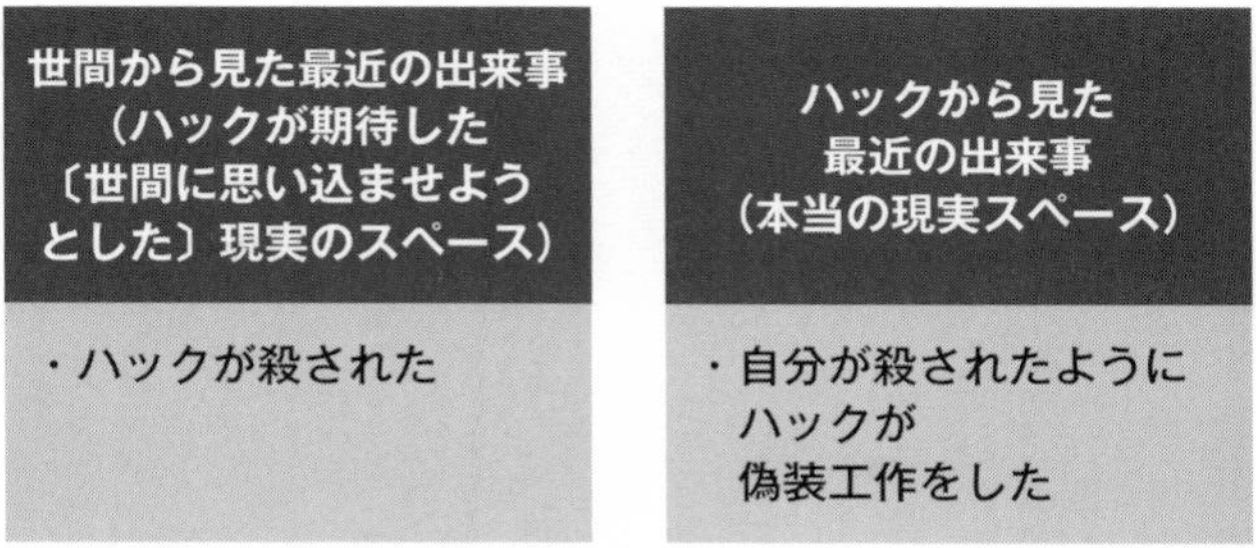

世間から見た最近の出来事 （ハックが期待した 〔世間に思い込ませよう とした〕現実のスペース）	ハックから見た 最近の出来事 （本当の現実スペース）
・ハックが殺された	・自分が殺されたように 　ハックが 　偽装工作をした

図６　世間から見た現実とハックとジムだけが知る本当の現実

びを一つ見てみましょう。デイヴィッド・マークソン『ウィトゲンシュタインの愛人』からの引用です。語り手である主人公は、この世界にたった一人生き延びた（と思い込んでいる）中年女性で、この場面では、今住んでいる海辺の家に飾られていた絵を見ながらいろいろな思いをめぐらせています。

> 絵はやはり、この家を描いたものに見える。
> 実を言うと、二階の、私が夕日を見る窓の所に誰かがいるように見える。
> 今まで、その女に気が付いたことは一度もなかった。
> もしもそれが女だとしたら、の話だ。その点、筆遣いはかなり抽象的だから、実際には誰かがいるという程度しか分からない。〔中略〕
> 私が人物だと思ったのは単なる影だったと今、結論が出た。

影でないとしたら、カーテンだ。

実を言うと、部屋の中に奥行きを出そうとしただけの色遣いなのかもしれない。考えようによっては、実際に窓辺にあるのはただの、赤褐色の顔料だ。それと、少しの黄土色。

実際、同じように考え方次第では、窓だって存在しない。形があるだけだ。だから、窓辺の人物に関して私がめぐらせた思索は意味がない。明らかに。


（デイヴィッド・マークソン『ウィトゲンシュタインの愛人』五四 - 五五）


ここでは、「絵に描かれた家の中に人物がいる」と理解している部分（絵の中の世界）と「家の形に絵の具を塗った中に、人影のような模様、窓のような図形がある」と理解する部分（絵が絵の具の模様として存在している世界）が入り交じっています。

パイプを描いた絵の下に「これはパイプではない」と書き添えたルネ・マグリットの有名な絵がありますが、ちょうどそれと同じように、ここでは、違うレベルに存在している二つの世界がせめぎ合っているように感じられます。そして当然の帰結として、この小説を読んでいると、女性主人公が一人で物語を語っている終末的世界が、同時にただの言葉の群れのように思われてくるのです。

現代小説では、このように、階層《レベル》の異なる二つの世界が融《と》け合ったり、入れ替わったりする場面がよく見られます。

アイロニーと期待スペース

既に見たように、アイロニーはしばしば「こだま」のように聞こえ、また、その多くは何らかの外れた期待に言及しているように思われます。ここに、メンタル・スペースの考え方を取り入れてみるとどうなるでしょうか。すなわち、「アイロニー発話とは、期待という反事実的なメンタル・スペースに言及するものである」と定義できそうです。しかし、これだけでは、前述した明言による失効という現象が説明できません。

アイロニーの効果を失わせてしまう「皮肉として言わせてもらうと……」という前置きは、メンタル・スペース理論の枠組みでは一種のスペース導入表現ということになります。例えば、次の例を見てください。


一九四六年には、アメリカ合衆国大統領は赤ん坊だった。

これはもちろん、一九四六年当時、合衆国の大統領は赤ん坊が務めていたという意味ではありません（当時の大統領ハリー・S・トルーマンは六十歳を越えていました）。ここで「アメリカ大統領」と指示されているのは、二〇一九年夏現在その地位にあるドナルド・トランプ（一九四六年六月生まれ）のことです。いずれにせよ、先の発話を耳にした私たちは、「一九四六年」というスペースの中で、当時のアメリカ大統領、あるいは現アメリカ大統領を探すはずです。この「一九四六年には」という語句のように、「ここには新たなスペースが導入されています」ということを合図するのがスペース導入表現です。アイロニーにはそうしたスペース導入表現がありません。

ですから、アイロニーの定義をより厳密にするなら、次のようになります。

アイロニー発話とは、明確なスペース導入表現を用いることなく、期待という反事実的なメンタル・スペースに言及するものである。

さて、アイロニーの新たな定義をこうして簡潔にまとめたところで、既に見た、「ほんとに今日はお出かけ日和ね」という発話について考えてみましょう。これは、こだま理論が指摘するように、確かに出かける前の「今日はお出かけ日和だ」という発話のこだまだと考えることができます。しかし、考え方を変えてみましょう。「今日はお出かけ日和だ」と誰かが言うと、当然、「天気がよいので実際にどこかへ出かけ、日差しを楽しんでいる」予想図が呼び起こされます。こうして喚起されたイメージの存在する場所を「期待スペース」、心の中で現実を再現している場所を「現実スペース」と呼ぶことにしましょう。すると、「ほんとに今日はお出かけ日和ね」という皮肉は、「今日はお出かけ日和だ」という発話が作った期待スペースへの言及だと考えることが可能になります。つまり、アイロニー発話者は、雨の落ちてくる実際の空——現実スペースの空——を見ながら「お出かけ日和だ」と言っているのではなく、本当なら（期待通りなら）そこにあるはずの青い空——期待スペースにある空——を見ながら「お出かけ日和だ」と言っていると考えるのです。（図7）

これだけならば、こだま理論的な見方もメンタル・スペース的な見方も、同じ問題を別視点から見ただけで、どちらも同程度の説得力がある（あるいは、同程度に説得力に欠ける）と思われるかもしれません。しかし、アイロニーをメンタル・スペース理論でとらえ直すことによって、こだま理論では説明できないアイロニーも同じ地平で論ずることができるよう

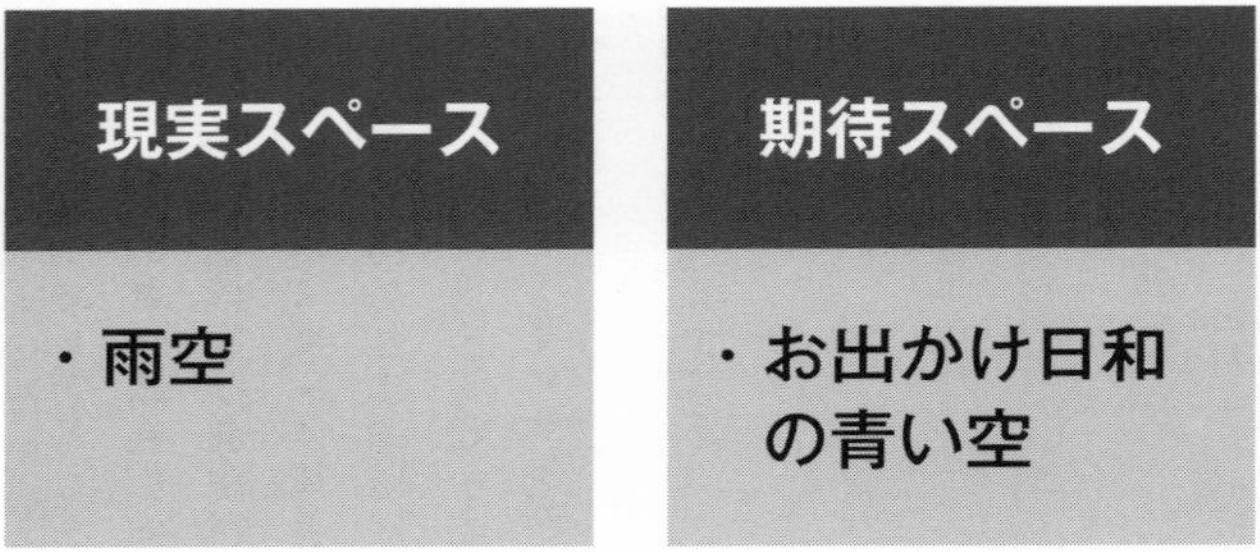

図7　期待スペースへの言及

になります。

例えば、語用論的不適切性という現象は、既にこの段階で説明可能です。アイロニー発話は、明示的な導入表現なしに新しいスペースを導入しているために、語用論的に不適切な部分が生まれると解釈できるのです。目の前の現実とは対照的な期待スペースのことをいきなり語っているのですから、当然、通常の語用論のルールに違反することになります。

ここで、他の例を見る前に、話を整理する意味で、既に見たハックとジムの会話がユーモラスで、かつアイロニーを含んだものに聞こえるのはなぜか、ということを振り返っておきましょう。あの場面では、ジムはまだ生きているハックに会ったばかりで半信半疑なので現実スペースと期待スペースとの対比が鮮明ではありません。つまり、ジムにとっては二つの現実がせめぎ合っているかのような状態にあります。ところが、ハックの視点（そして同様にすべてを知っている読者）から見れば、ハックが偽装・演出した状況（すなわち彼が期待している世間の勘違い）と現実との対比は明白です。ですからそこにアイロニーが生まれているわけです。

では、アイロニーの新たな定義がどこまで有効なのか、さまざまな例を見ながら、以下に検討していくことにしましょう。

2・2 アイロニーの多様性を説明する

アイロニーの複数解釈

Aさん（皮肉を込めて）「すごいね。そりゃいいや」

こだま理論では、このアイロニー発話は、具体的な先行発話をこだましているのではなく、一般的な期待をこだましているのだと考えます。つまり、「結構なことだ」と素直に（皮肉なしに）コメントできる状況そのものが望ましい状況だと言うのです。しかし、「一般的な期待」というのはかなりあいまいな概念ですし、しかも、それを「こだま」するという言い方で理解するのは、やや無理があります。

では、今度は、メンタル・スペース的に考えてみましょう。Ａさんは現実スペースでの出来事について「すごいね。そりゃいいや」と言っているのではない、と考えるのです。Ａさんは期待スペースでの出来事についてコメントしているのです。つまり、現実にａということがあって、それが「すごい」と言っているのではなく、期待スペースにその対応物ｂがあって、それが「すごい」と言っているのです。

なお、ここからは、表記が煩雑になるのを避けるために、必要に応じて、現実スペースを《現実》、期待スペースを《期待》と表記することにします。加えて、期待スペースに存在する事態を、同様に二重山括弧を用いて、《期待》していた事態と略記する場合もあります。

少し別の視点を導入するために、一つだけ英語で例を挙げますが、次のＣさんの発言も同様に考えることができます。

（ボブは運転が乱暴で、人の車を借りては車に傷をつけたり、汚したりしている人物）
B: Bob has just borrowed your car.（「さっきボブが君の車を借りてったよ」）
C: Well, I like that.（「へえ、結構なことだ」）

この場合も、Cさんの発話はボブが車を借りていったことについて語っているのではなく、《期待》に言及していると考えます。

具体的な解釈は複数可能ですが、その一つは、発話の中の"I"（私）が《期待》内のもう一人の私に対応しているとする見方です。この場合、《現実》の「私」はその事態に我慢がならないけれども、《期待》内の「私」は、現実の私よりも寛容なので、ボブの行為に腹を立てることはありません。場合によっては、「これで一つ貸しができた」「これで車を買い換えるきっかけができた」などとポジティブに考えることさえできるので"I like that"と言えるのです。このアイロニーに「犠牲者」がいるとすれば、それは、充分に寛容になれない「私」自身ということになるでしょうが、もちろんその自己批判はあくまでも冗談を意図したものです。

期待スペース内の「私」への言及を含むこの解釈は、現実の自分と違う人物のふりをして発話していると考える点で、偽装理論の見方と似ています。しかし、発話者が偽装する人物は、必ずしも判断力が低かったり、愚かであったりする必要はありません。このケースでも、期待スペース内の「私」はばかである必要はありません（もちろん、ばかだと考えることもできますが)。

さて、Cさんの発話には別の解釈も可能です。すなわち、《現実》の横暴なボブの対応物(もう一人のボブ)が《期待》の中に存在する、つまり理想的な人物に変身したボブが《期待》内に存在するという考え方です。《期待》の中のボブは現実のボブとは対照的で、慎重な運転をする(さらに言うなら、ガソリンを満タンにして車を返してくれるような)好人物なので、彼が車を借りていったことについて"I like that"と言えると考えるのです。この場合、アイロニーの犠牲者は当然ボブで、その乱暴さや人格が批判されていることになります。この他にも、図表に示した通り、Iかlikeかthatのいずれかが《期待》スペースに言及していると考えると、少しずつ違う解釈が可能です。(図8)

いずれにせよ、アイロニー発話は《期待》への言及であると、統一的に解釈できます。そして、《期待》への言及と《現実》に対する理解とが対照されて、そこにアイロニー・コネクターで結ばれた対応物が浮かび上がり、アイロニーが生まれます。

重要なのは、従来の主なアイロニー論とこの見方との違いです。従来は、「明らかに美しくないXについてアイロニー発話者が『美しい』と言うのはなぜか?」が問題でした。しかし、メンタル・スペース的にアイロニーを見直すと、「明らかに美しくないXと、アイロ

現実スペース	期待スペース
・I（狭量な私）	・I（寛大な私）
現実スペース	期待スペース
・dislike（嫌い）	・like（好き）
現実スペース	期待スペース
・that（運転が乱暴なボブが勝手に私の車を借りていったこと）	・that（ボブは運転が慎重／勝手に私の車を借りていったわけではない）

図8　複数可能となる解釈

ニー発話者が『美しい』と言っているYとはどう結び付いているのか?」が問題になります。言葉を換えるなら、《現実》の中のX（汚いもの）と《期待》の中のY（美しいもの）を結び付けているアイロニー・コネクターとはどんなものなのか、ということです。アイロニーをメンタル・スペース的にとらえ直すということは、この発想の逆転を意味しているのです。

こうして見方を変えた際、アイロニー発話に複数の解釈があることも説明可能になります。それは、反事実的な仮想スペースに言及するときには起こりがちなことだからです。

例えば、次の発話について考えてみましょう。

（ある家庭教師が反抗的な教え子に向かって言う）
「私があなたの父親だったら、あなたをひっぱたく」

これは、「私があなたの父親だったら」という一節によって事実とは異なる仮想スペースを導入している発話ですが、その意味はいったいどういうことになるのでしょう。

単純そうに見えて、この発話には複数の解釈が存在します。

・「私」は家庭教師という立場なのでひっぱたくことはしないが、父親という立場だったらひっぱたくだろう。
・「私」は甘いのでぶったりはしないが、その子の父親は厳しい人なのでその子をぶつだろう。
・現実の父親は子供を甘やかしているのでぶったりはしないが、「私」だったらぶつだろう。

このようなあいまい性が生じるのは、現実の「私」と「父親」のどの部分がどう融合し、結び付いて仮想空間の「あなたの父親になった私」を作っているのかが明確ではないからです。

反事実的な仮想スペースに関する発話を現実スペースに照らし合わせる際には、この種のあいまいさが生じることがあり、それはアイロニー発話にも共通します。このことは、アイロニーがメンタル・スペースに関わる問題であることを傍証していると言えるでしょう。要するに、アイロニー発話は《現実》において「〇〇は××である」と述べているのではなく、《期待》において、「〇〇は××である」と言っているだけなので、それを《現実》と引き比べたときにどんな違いが見えるかは、かなりの度合い、文脈に左右されるのです。こうして、アイロニーをメンタル・スペース理論の観点から考えることによって、複数の解釈が可能なアイロニー発話を容易に扱うことが可能になるのです。

ここで、もう一つ、注意しておかなければならないのは、「母体となる基底スペースは常に《現実》で、《期待》はそれに従属するスペース」という位置づけは固定している、ということです。《期待》内の要素（例えば「期待していた青い空」）がそれに対応する《現実》内の要素（例えば「現実の雨の降る空」）とアイロニー・コネクターで結ばれるとき、二つの対称性が浮かび上がるわけですが、《期待》を引き合いに出して《現実》を批判するのが普通で、その逆に、《現実》を引き合いに出して《期待》を批判することはありません。こうしてアイロニー的含意と表意との非対称性が保たれるので、「どちらのスペースがディスられているのか分からない」みたいな、決定不能な循環に陥ることはめったに起こりません。

ただ、これには例外があって、ある種の文学的な仕掛けとしてアイロニーが用いられる場合には、《現実》がそのまま基底スペースだとは考えられない例が多く見られるのですが、その議論はしばらく脇に置いておくことにします。

アイロニーと嘘

アイロニーと嘘は似ている部分もありますが、決定的に異なる部分もあります。メンタル・スペース的に見ると、両者はどのような共通点と相違点があるでしょうか。

「汚い」ものを「きれい」だと言うのは、嘘の場合もあるでしょうし、アイロニーの場合もあります。アイロニーも嘘も、既に聞き手が受け入れている現実とは異なるスペースへの言及を含む点で共通しています。嘘の場合、発話者は、聞き手の信じている現実スペースを発話者が信じさせたい別のスペースに置き換えようとしますが、アイロニーの場合は聞き手の信じている現実スペースと発話者が言及するスペースとを対比させようとしています。より具体的には、例えば、「あなたの《現実》内にある『汚い』ものは実は『きれい』なものなのだ」と言うのが嘘で、「あなたの《現実》内の『汚い』ものは、『きれい』だと期待されているものなのだ」と言うのがアイロニーです。「汚い／きれい」という評価に限って言えば、評価の訂正を迫るのが嘘、二つの評価の対称性を浮かび上がらせるのがアイロニーということになります。

極端に単純化するなら、そもそも聞き手に新情報を与えるすべての発話は、「この発話を今あなたが持っている現実認識と照らし合わせなさい」という、暗黙の命令を含んでいると言えます。メンタル・スペース理論においては、談話は次のようなものとして扱われるからです。

この観点からは、談話の展開は認知構成の連続である。それぞれの構成が、文脈と文法の要請から次の構成を引き起こす。段階nにおいて談話に入ってくる言語表現は、それ以前の段階n-1の構成、およびさまざまな語用論的要因とともに、新しい構成の構築に制約を与える。〔中略〕
このようにして構築された領域は、従属的関係によって半順序関係を成す。新スペースM'は、常に、現在焦点化されている既存スペースMに関連して作られる。
（フォコニエ『思考と言語におけるマッピング』四七-四八）

少し難しい言い回しではありますが、談話に参加している人の間で構築される認知構成が、一つの発話ごとに書き換えられていくという要点はお分かりいただけると思います。
こうして未知の出来事や事物に関する報告であれ、未知の考え方や見方の紹介であれ、聞き手はそれを既知の事物や考え方と照らし合わせ、それが説得力のある、あるいは精度の高い情報だと判断すれば、自身の現実認識を修正するし、説得力に欠ける、あるいは精度の低い情報だと判断すれば、新情報は捨象されます。

この点で、アイロニーは特異な存在です。なぜなら、それは、明らかに《現実》にはマッチしない情報であるにもかかわらず、捨て去られることのない情報だからです。つまり、通常の発話は、認識の修正に用いられるか、捨て去られるか、どちらかの反応を聞き手から引き出すのですが、アイロニー発話は「あなたの認識と照らし合わせなさい」と言いつつ、「ほら、全然違うでしょう?」と合図しているのです。ですから、聞き手も、二つのスペース(聞き手の《現実》スペースと発話者の言及する《期待》スペース)を目の前に並置した状態で、その対照性を意識させられることになります。

先に引用した、『ハックルベリー・フィンの冒けん』の例を思い出してみましょう。「あんたがころされたつぎの夜に来たよ」というジムの発言は、ハックの偽装工作によって構築された殺人事件という《虚構》に言及しています。ジムはそう言うことによって、ハックが生きているという目の前の事実、《現実》を否定しようとしているわけではありませんし、ここでは、「死んだはずのあんたが生きているなんておかしいね」と《虚構》と《事実》との違いを浮かび上がらせようとしているわけでもありません。ですから、この発話は、ハックが死んだと思い込んでいる人々に当てつける皮肉にはならず、むしろ詐欺師仲間の会話のようになっているのです。

明らかに《現実》には合致しないにもかかわらず、捨て去られることのない情報としてのアイロニーは、では、どのように《現実》と《期待》を結び付けているのでしょうか。より細かく見ていくことにしましょう。

アイロニー・コネクター

①（トトは赤ん坊。段ボール箱を自動車に見立てて遊んでいる）
「トトは車を見つけた。それは段ボールの箱だった」

②「ドン・キホーテは巨人どもを見つけた。それは風車であった」
（①②『メンタル・スペース』一九三の例を改変）

③彼は一つの論法を見つけた気がした、

これを使えば自分が教皇だと証明できる。
もう一度よく見直してみると
それはまだらの石けんの固まり。
「これほど恐ろしい事実を目にした今」弱々しい声で
「すべての望みは消え失せた！」

（ルイス・キャロル『シルヴィーとブルーノ　完結編』）

①の例では、《現実》の段ボール箱が《期待》内の車とコネクターで結ばれていますが、この発話はユーモラスに聞こえることはあっても、アイロニー的に聞こえることはありません。それと対照的に、②の場合には、《現実》の風車が《期待》内の巨人と結び付き、発話はアイロニー的に聞こえます。

なぜ、似たように見える二つの例で、一方はアイロニー的に響き、他方はアイロニー的ではないのでしょうか。その原因はコネクターにあります。コネクターによって結ばれる二者の対照性・相違が前景化される場合（つまり、違いが浮き彫りにされる場合）に発話はアイロニーとして解釈され、逆に、二者が許容できる同一性を持ったものとして見られる場合

（つまり、似たものとして扱われる場合）には、少し風変わりな指示と解釈されるのです。要するに、①の場合、箱と車を結び付けているのが幼児であるために、両者が似たものと考えられて、アイロニー性が生じないのです。

試みに、①の発話を異なった文脈に置いてみると、より境界的な、微妙にアイロニーっぽい例ができ上がります。例えば、仮に、「催眠術にかけられた大人のトトが段ボール箱を車だと思い込んでいる」という文脈が与えられた場合、同じ①の発話がアイロニー的に聞こえます。

しかし、また、③の戯《ざ》れ歌で分かるように、「自分が教皇であると証明する論法」と「石けん」とを見間違えるようなばかげた例ではアイロニーは感じられません。つまり、アイロニーにとっては、コネクターで結ばれた二つのものが異なることも重要ですが、それだけではなく、やや逆説的ですが、二つのものがある程度は似ていること、何らかの形で比べられることも重要になります。対比しにくいような相違のあるものは、アイロニー・コネクターで結ぶことはできないのです。青空と雨、きれいと汚い、好きと嫌い、月とすっぽんなどはアイロニー・コネクターで結べそうですが、青空と民主主義、倫理と時計、催眠術とトム・クルーズみたいに、二つがただ違うだけで、対照的でも、対比的でもないペアからアイロ

コネクターの種類	コネクターが基づく原理	例
客＝注文品	隣接性（客が料理を注文する）	カツ丼が食い逃げした
配役＝俳優	身体的同一性（俳優が役を演じる）	トム・クルーズが銃で撃たれる
役割＝人物	身体的同一性（ある人物がある役割に就く）	一九四六年に、アメリカ大統領は赤ん坊だった
著者＝本	隣接性（人が本を執筆）	プラトンは上の棚にある
動物＝人間	類似性（特定の動物と人間とは性質が似ている）	この前、悪い狼に襲われそうになった
《期待》＝《現実》（アイロニー・コネクター）	期待と現実の対照性・対比・落差	（雨を見ながら）今日はいい天気だ

図９　メンタル・スペースを結ぶコネクター

ニーが生まれることはありません。

メンタル・スペースを結ぶコネクターにはそれぞれの特徴が見られます。「客＝注文品」コネクターは隣接性に基づき、「配役＝俳優」コネクターは身体的同一性に基づき、比喩（メタファー）に関するコネクターは類似性に基づいています。アイロニー・コネクターは、「不一致・対照性・相違」に基づいているコネクターです。それは、違うものを結び付け、かつ、結び付けることによって違いを浮き彫りにするコネクターなのです。

ここで簡単に、いくつかのコネクターを表にして、整理しておきましょう。（図９）

アイロニーのインパクト

映画のヒロインのオーディションで、「緑の目の女性」を募集したところ、応募者はただ一人、しかもその女性の目は青かった。応募書類に目を通したアシスタントが監督に言う。

「緑の目の女性が青い目をしてますよ」

これも、こだま理論や偽装理論では説明できないアイロニーの一つです。「緑の目の女性が青い目をしてますよ」という発話は、先行する何らかの発話のこだまとは考えられませんし、愚かな発話者のふりをするにしても、この発話はあまりにもとんちんかんです。

この発話は、メンタル・スペース的に見ると、非常にすっきり説明できます。映画制作者側が期待していたのは「緑の目の女性」です。つまり、彼らの期待スペースには「緑の目の女性」がいる。そして、実際のオーディションには「青い目の女性」が来ました。つまり、現実スペースには「青い目の女性」がいるわけです。すると、問題の女性を指して言うときに、期待スペースの要素を指示して「緑の目の女性」という言い方が可能になります。ですから、「緑の目をしているはずの女性」、すなわち「《期待》内の緑の目の女性」が実際には青い目をしていた場合、「緑の目の女性が青い目をしてますよ」と言うことができるのです。

ただし、既に述べたように、「緑の目をしているはずの女性が青い目をしてますよ」と言ってしまうと、アイロニーは効果を失います。なぜなら、「……のはず」という語句が明示的に期待のスペースを導入してしまうからです。やはり、アイロニーの効果そのものが、スペース導入表現なしに新しいスペースを導入することから生まれる驚きだと言えそうです。

つまり、こういうことです。「緑の目の女性が青い目をしてますよ」という発話を矛盾しない形で理解するには、どうしても二つのスペースが存在していると考えざるを得ません。一つは普段の会話でも参照される《現実》だとして、もう一つのスペースが何の前置きも説明もなしに導入されている。こういうとき、そのスペースが、話し手・聞き手・第三者など誰かの《期待》だと発見したときのインパクトがアイロニーの効果なのです。

スペース導入表現がない修辞技巧としては他に、例えばメタファー（隠喩、暗喩）があります。メタファーは、しばしばシミリ（明喩、直喩）と対で取り上げられる比喩で、シミリなら「男は狼みたいに獰猛《どうもう》だ」というふうに、「みたい」というスペース導入表現が付随するのですが、メタファーならスペース導入表現なしに「男は狼だ」という文になります。メタファーはスペース導入表現がないことによって、少し聞き手に解釈の負担を与える一方で、解釈を見つける楽しみとインパクトを与えます。アイロニーが明言によって失効するのは、まさにそうした解釈発見のインパクトが失われるからだと考えることができます。

どちらもアイロニー？

①Aさんが重い荷物を抱えて廊下を歩いていると、前を歩くBさんがオフィスのドアを開けた。Aさんとしては、Bさんがそのままドアを押さえてくれていると助かるのだが、Bさんは手を離し、ドアが閉まってしまう。AさんはBさんに向かって言う。

「ドアを押さえててくれてありがとう」

②まったく同じ状況でAさんがBさんに言う。

「ドアを押さえててくれなくてありがとう」

命題的にはまるで逆のことを言っているように思われるこの二つの発話が両方ともアイロニーに聞こえる、しかも、どちらも自然な皮肉として成立するのは非常に不思議なことです。

これらもまた、こだま理論や偽装理論では説明できないアイロニー発話です。「ドアを押さえててくれてありがとう」という①の例は、ある状況での発話のこだまと言えなくはありませんが、「ドアを押さえててくれなくてありがとう」という②の例をこだまと考えるのは無理があります。偽装理論にしても、①や②のようなお礼を言う人物を仮定するのは、どれほど愚かな人物であれ、困難です。

その点、メンタル・スペース理論による説明は、この二つのアイロニー発話をシンプルに分析することができます。状況を整理すると、こういうことになります。《現実》のBさんはドアを押さえていてくれませんでしたが、Aさんは、できればBさんにドアを押さえていてほしかった、つまり、《期待》の中ではBさんはドアを押さえてくれたわけです。こうして、「(《期待》内で) Bさんがドアを押さえる」＝「(《現実》内で) Bさんがドアを押さえない」という一つの事態が発生したのです。

ここでAさんが皮肉を言うわけですが、①でも②でも、どちらの場合にも、Aさんは《期待》の中で起きた出来事に対して「ありがとう」とお礼を述べているのだ、とメンタル・スペース理論的には考えます。そして、《期待》内で起きた出来事を指し示す表現が二通りあります。一つは、《期待》内での出来事をそのまま表現する場合（「ドアを押さえててくれて」）、もう一つは、それに対応する《現実》内での出来事をそのまま表現する場合（「ドアを押さえててくれなくて」）です。

《期待》への言及があればアイロニー発話になりますから、発話の他の部分が《現実》に言及していても不都合はありません。アイロニーがアイロニーに聞こえるには、一部であれ、一語であれ、《期待》への言及がはっきりしていればそれで充分です。つまりここでは、《期待》内で「ドアを押さえててくれた」ことに対してお礼を述べているわけです。

二重否定のアイロニー？

①対向車が、Aさんの車の直前で、方向指示器も出さずに右折し、前をさえぎる。Aさんが言う。「方向指示器を出すドライバーは大好き」

②あるいは同じ状況でAさんが言う。「方向指示器を出さないドライバーは大好き」

これも前項の例に似た一対の発話で、どちらもアイロニー的に聞こえます。しかし、「ドアを押さえててくれて（押さえててくれなくて）ありがとう」の例とは少し異なる部分もありますので、細かく見てみることにしましょう。

Aさんの《期待》内には、「大好き」なものがあります。それは、「方向指示器を出すドライバー」です。ですから、「方向指示器を出すドライバーは大好き」という、《期待》への言及がアイロニーとして成立します。

このとき、アイロニー・コネクターが、《期待》内の「大好き」を《現実》内の「大嫌い」に結び付け、また、《期待》内の「方向指示器を出すドライバー」を《現実》内の「方向指示器を出さないドライバー」に結び付けています。つまり、「方向指示器を出すドライバー」（《期待》内）＝「方向指示器を出さないドライバー」（《現実》内）の関係が成り立ちますから、「方向指示器を出さないドライバーは大好き」というアイロニー発話も可能になるわけです。

ここまでは、「ドアを押さえててくれて（押さえててくれなくて）ありがとう」とあまり変わりません。つい先ほど述べたように、ほんの一部でも《期待》に言及していればアイロニーの効果が生まれるということなら、この発話で、「ドアを押さえてくれて」と《期待》に言及する部分を残して、「ありがとう」の部分を、《現実》に発しそうな、「ありがとう」の反対みたいな言葉に置き換えてもアイロニーは成立するはずです。けれども、例えば、「ドアを押さえてくれて、こんちくしょう」というような文は、アイロニーかどうかと考える前に、意味か統語のいずれかで不適格な日本語と感じられます（つまり、「ありがとう」には感謝の理由を添えることが可能ですが、通常、「こんちくしょう」に呪詛の理由を添えることはありません）。

ところが、「方向指示器を出す（出さない）ドライバーは大好き」の場合、理屈だけ言えば、同じ状況で、《期待》に言及する「方向指示器を出すドライバー」を残し、「大好き」の部分に《現実》に言及する「大嫌い」を代入して、「方向指示器を出すドライバーは大嫌い」というアイロニーも可能です（これもやはり少しピンと来にくい皮肉ですが、「こんちくしょう」に比べれば、ありうる日本語です。この問題については今回は、これ以上、深入りしないことにします）。（図10）

いずれにせよ、Aさんは、①のように発言している場合でも、言葉と逆に「方向指示器を出さないドライバーが大好き」なわけではありませんし、「方向指示器を出すドライバーが

《現実》	《期待》
・方向指示器を出さないドライバー	・方向指示器を出すドライバー
《現実》	《期待》
・……は大嫌い	・……は大好き

図10　二重否定のアイロニー

大好きではない」ということでもありません。①も②も、どちらの発話も、その真意は「方向指示器を出さないドライバーは大嫌い」ということになります。こうした二重否定的なアイロニーは、「言いたいことの逆を言う」というよくあるアイロニー観とは矛盾しますが、アイロニー発話の全体を反現実的な期待空間への言及と考えることで、すっきりと理解できるようになります。

アイロニーの非対称性

①（親が泥まみれの子供に向かって言う皮肉）

「まあきれいなこと」

②（親が泥まみれになっていない子供に向かって言う皮肉）
「まあよく汚しちゃって」

アイロニーには非対称性がある、ということは既に述べました。アイロニーは、悪い意味の表現でよい意味を伝えるものは圧倒的に少数で、ほとんどが、よい意味の表現を使って悪い意味を伝えるタイプのものだということです。例えば、「汚い」ものを「きれい」だと言う皮肉は容易に成り立ちますが、「きれい」なものを「汚い」と言う皮肉が通じるためには、特定の先行発話や文脈が必要不可欠です。なぜ、この非対称が生じるのでしょうか。メンタル・スペース的なアイロニー論は、この問題も説明することができます。

通常、何の文脈もない場面では、「きれい」なことが期待される、と仮定するのは無理なことではありません。ですから、①の「まあきれいなこと」という発言はほとんどの場合にアイロニーとして通用します。

これに対して、②のような皮肉が成立するには、「よく汚す」ことが期待される文脈が前もって存在しなければなりません。通常はそんな期待は存在しませんから、例えば、「外で元気よく遊んできなさい。服は思いっきり汚してもかまわないから」と親が子供に言っていた、というような文脈が必要です。そうすれば、《期待》内の子供は泥だらけになりますから、現実スペースの子供がきれいな服で帰宅した場合に、「まあよく汚しちゃって」という皮肉が言えます。

要するに、一般的な期待がある場合には、改めて期待スペースを作る必要がないのに対して、特定の場面で普段と異なる期待がある場合には、特殊な期待スペースを作らなければならないので、何らかの先行発話や特定の文脈が必要になるということです。これが、アイロニーの非対称性の原因だと考えられます。

ただし、アイロニーの非対称性というのには、詳細に見ると、二つの種類が認められます。先の例では①の場合も②の場合も、どちらもほめているのではなく、けなしているのだということに注意しましょう。①の親は「服を汚さないようにもっと気を付けなさい」と叱っていますし、②の親は「もっと服を汚すように元気に遊びなさい」と小言を言っています。①で「まあきれいなこと」と言っている親はこの皮肉で、泥まみれの子供をほめているわけではなく、②の親も、服を汚していない子供を「よく汚しちゃって」とほめているわけではありません。ですから、本項で見たのは、「悪い意味の表現でよい意味を伝えるタイプのものが多い」ということのアイロニーの非対称性ということになります。

でも実は、アイロニーには「ほめるものより、けなすタイプのものが多い」という非対称性もあります。そしてその二つが別物であることは明らかです。

通常、私たちが見聞きするアイロニーは、非難めいていますので、突然ここで「ほめるアイロニー」というものを私が持ち出しても、読者の皆さんはイメージしにくいかもしれません。早速、次項でそうしたものを見てみましょう。

ほめるアイロニー

①夫は外回りの仕事をさぼって妻の誕生日の贈り物を探し、帰宅して妻にプレゼントを渡す。

妻が言う。「悪い子ね」

②父親の誕生日祝いに子供たちがお金を出しあってプレゼントを買い、手渡す。父親が言う。

「くだらんことにお金をかけおって」

前項までに挙げたアイロニーの例はどれも批判的な意図のこもったものばかりでしたが、アイロニーにはほめるタイプのものもないわけではありません。本項冒頭に挙げたのは、その「ほめる」タイプの例です。アイロニーには、ほめる表現で批判するものが非常に多く、①や②のような、批判する表現でほめるものが少ないのはなぜでしょうか。

その答えは、メンタル・スペース的には単純です。通常、《期待》内に存在する事態は当然望ましいものであり、それと対照的な《現実》に存在する事態は望ましくないものだからです。つまり、普通のアイロニーは、実現していない「望ましい状態」に言及しながら、「望ましくない状態」の現実との対照を浮き彫りにする、すなわち、現実を批判するわけです。

ですから、問題は、「どのような場合に望ましくない事態が期待されるのか」ということになります。

①の場合、夫のしたこと（仕事をさぼったこと）は社会的には望ましくないことです。しかし、同時に、それは妻にとっては期待すべきことです。通常は、社会的な期待と個人的期

待はそれほど大きな矛盾なしに並立していますが、この場合のように、社会的期待と個人的期待が相反するとき、ほめるアイロニーが可能になります。「(社会的に) 望ましくない事態が (個人的に) 期待される」からです。

②の場合も同様です。子供たちのしたことは、ありがちな頑固親父的な判断（つまり、《期待》内の価値観）に従えば「くだらんことにお金をかける」行為ですが、おそらく個人的にはうれしいことです。

重要なのは、ほめるアイロニーの場合、表に出す第三者的判断と内心の個人的判断とが異なっていることを、わかりやすく聞き手に知らせる必要がある、ということです。さもなければ、発言が文字通りに解釈されて、非難と取られてしまいます。通常のアイロニーの場合には、個人的判断と第三者的判断との区別は表面上ほとんど問題にならず、単に誰かの《期待》と《現実》との対照だけが問題になります。ところが、ほめるアイロニーの場合は、第三者的な判断（「悪い子」「くだらないこと」）が《期待》に割り当てられて、個人的な判断が《現実》に割り当てられます。

このタイプのアイロニー発話をする話し手は、判断基準がこのように二つ存在していること（つまり、本当の個人的判断は発話の見かけの意味とは異なること）を伝えるために、普通、聞き手にそれなりの合図を送ります。例えば、「くだらんことにお金をかけおって」と言うときに、真顔で言うのではなく笑顔で言ったり、「なんて悪いことをするの」と真顔で非難するのではなく、いたずらな子供を相手にするような調子で「悪い子ね」と言ったりするのです。

肯定的なアイロニー

株の仲買人からAさんの勤務先にこの日三度目の電話がかかる。予想外の配当を知らせる電話だ。「お仕事中に何度もお邪魔して申し訳ございません」

この例に少しユーモラスなアイロニーが感じられる理由はなぜでしょうか。ここでも《現実》と《期待》という二つのスペースの落差に注目することで、そのメカニズムを説明することができそうです。

仲買人は《現実》において、とてもいいニュースをもたらしています。それは、メッセージの受け手Aさんにとって、仕事を放り出してでも知りたいニュースでしょうから、決して

「仕事の邪魔」などと受け止めることはないでしょう。しかし他方で、仕事中の人物に何度も電話をかけることは一般に、控えなければなりません。つまり、世間にはそのような《期待》が存在しているということです。

少し注意しなければならないのは、ここで私が《期待》と言うとき、それは必ずしも「(当事者にとって)いいこと、望ましいことを期待する」というわけではなく、「(一般に)ありそうなこと、当然なこととして予想される」ことを意味しているということです。このように、話し手と聞き手に共有される《期待》の性質は時に微妙なニュアンスをはらんでいることには、常に注目しておく必要がありそうです。

丁寧な言葉遣いに込められたアイロニー

家に持ち帰った重要な仕事に集中しようとしている親のそばで、子供が大音量でテレビを見ている。親が子供に言う。「申し訳ありませんが、ちょっとの間だけボリュームを下げていただけるとありがたいんですけど」

親が発したこの言葉が一種のアイロニーであることは明らかでしょうが、そこに「逆の意味」が込められているのではないことも、同様に明らかでしょう。こだま理論で説明するのも難しそうです。偽装理論に従って、親が愚かなふりをしているという説明もやや苦しい。では、メンタル・スペース理論では、どのような説明が可能なのか。

親が子供に向かって「申し訳ありませんが……していただけるとありがたいんですけど」と言うとき、特定の単語や指示語、形容が《期待》に言及しているようには思えません。この場合は、親の口調が《現実》にそぐわないのですから、口調自体が《期待》に言及していると考えるのが妥当でしょう。では、アイロニー発話の典型において、《現実》の土砂降りと《期待》の中の「いい天気」とがコネクターで結ばれていた現象になぞらえた場合、このやけに丁寧な口調はどのような《現実》と《期待》を結んでいるのでしょうか。

この場面で子供は、大事な仕事をしようとしている親に遠慮せず、やや傲岸不遜《ごうがんふそん》に振舞っています。それはあたかも、「テレビのボリュームを下げるというだけの問題でも、(親を含め) 周囲がへりくだってお願いしなければならない」かのような状況だと言えそうです。つまり、子供の傍若無人な振る舞いが、親でさえへりくだらなければならないような関係を《期待》しているように見える。要は、子供の行動が《期待》しているように見える家庭内

《現実》の家庭内ルールと口調	子供の振る舞いが《期待》していると思われる家庭内ルールと口調
・家庭内では、各人が家族に配慮しなければならない。それゆえに子供は当然、テレビの音量が家族に与えている影響を考えるべきだ。	・家庭内の問題は子供に決定権・優先権がある。それゆえに、親はテレビの音量に不服があれば、丁寧に子供に申し出なければならない。
・「ボリュームを下げて」	・「ボリュームを下げていただけるとありがたいんですけど」

図11　家庭内ルールをめぐる《期待》と《現実》

のルールと、《現実》の家庭内のルールとがコネクターで結ばれていて、そのような《期待》スペースでの親子関係に基づいて、親が子供に話し掛けているのです。（図11）

先の項までは、アイロニー発話の中のこの単語が《期待》に言及している、という形のものを主に眺めてきたわけですが、この例においては単語ではなく、もっと漠然とした「口調」が《期待》に言及しているわけです。こうして、発話内の語彙やその意味内容に頼らないアイロニー分析も可能になります。

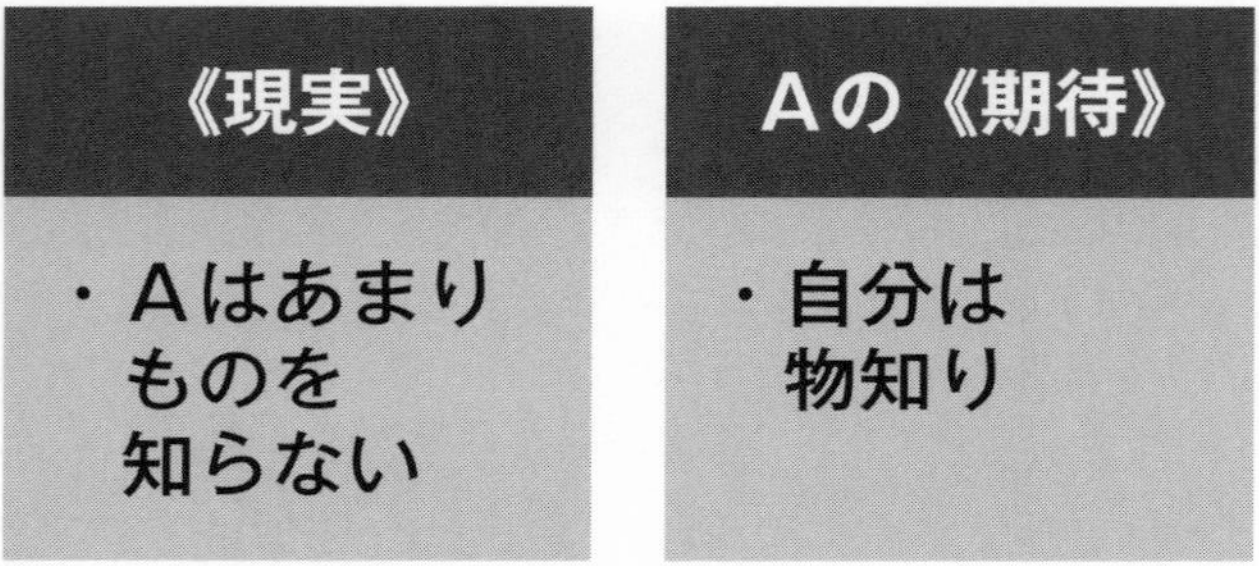

図12　Aの抱く《期待》が生むアイロニー

聞き手の振る舞いが前提としている期待スペース

（何でも知ったかぶりをする人物Aに向かって）「ほんと、物知りですね」

このようなアイロニーは、分かりやすい形で、話し相手Aの抱いている《期待》、より具体的にはその《期待》内のAに言及しています。（図12）

これはAが普段から知ったかぶりをする人物であるという文脈があるとき、つまり、ある《期待》スペースがあるときに、最も分かりやすいアイロニーの一種（嫌み、皮肉）です。

しかし、前項で見たように、ある人の振る舞いやその場の状況で即興に《期待》スペースが生まれることも、もちろんありえます。

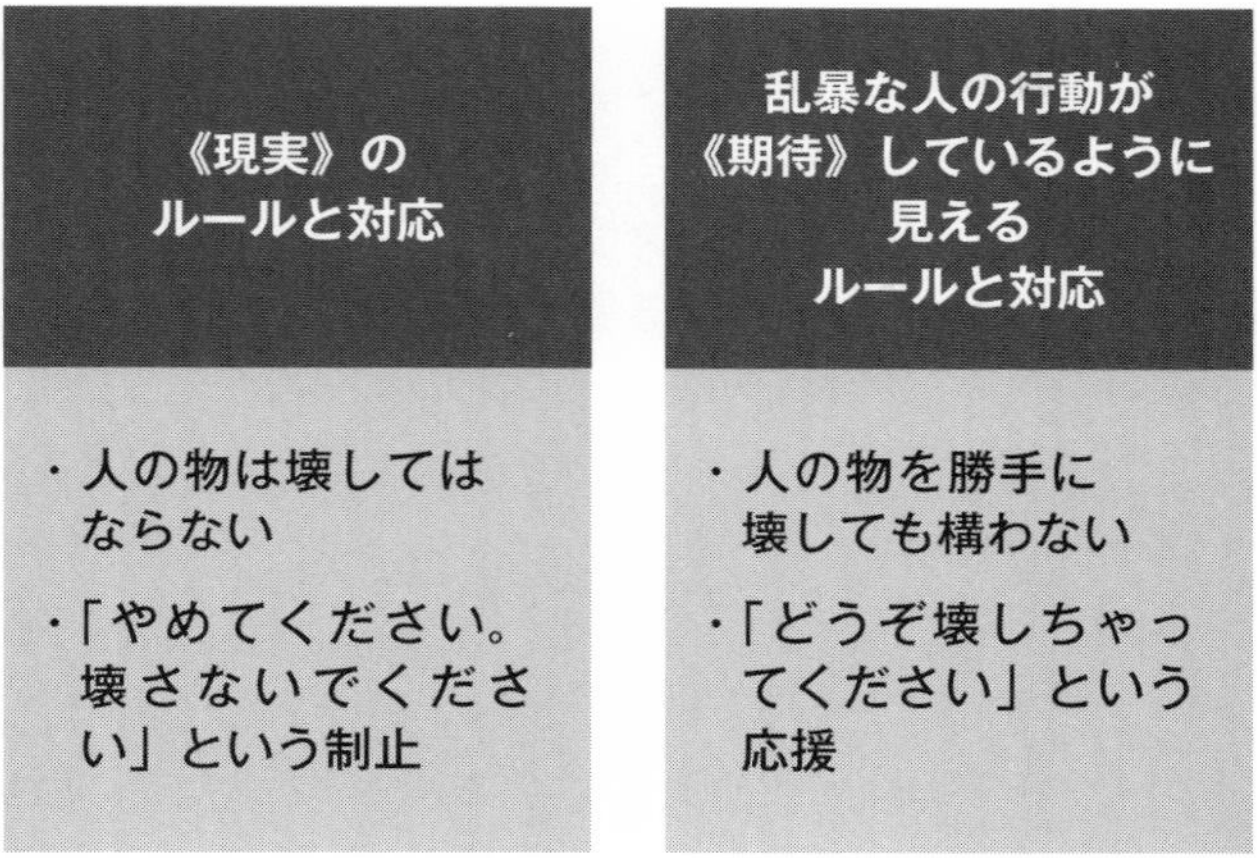

《現実》の ルールと対応	乱暴な人の行動が 《期待》しているように 見える ルールと対応
・人の物は壊しては 　ならない ・「やめてください。 　壊さないでくださ 　い」という制止	・人の物を勝手に 　壊しても構わない ・「どうぞ壊しちゃっ 　てください」という 　応援

図13　ある振る舞いの前提となる《期待》スペース

（大事な花瓶まで壊してしまいそうな勢いの乱暴な人物に対して）「どうぞどうぞ、私の花瓶なんか壊しちゃってください」

ここでは、ある人物の乱暴な振る舞いが、それが前提としているらしき《期待》スペース（人の物を壊して構わないような世界）を生み、その行動を助長する応援が可能になります。（図13）

誰の期待か？

アイロニーは、既に見た例でも分かるように、目の前にいる相手が犠牲者（当てこすりの対象）であるとは限りません。話し手と聞き手が何らかの《期待》を共有できればアイロニーは伝わるので、それが聞き手の《期待》である必要はありません。

ですから、世間の期待、共有された予想などへの言及がアイロニーとして機能することも不思議ではありません。

次のような例ではそれが明らかでしょう。

（土砂降りの雨を眺めながら）「天気予報の言う通り、いい天気になったね」

このアイロニーの犠牲者は当然、天気予報（気象予報士）です。

語の二つの意味

前項に続いて、第三者の《期待》に言及するアイロニー発話の例を見ましょう。

前項の例では、天気予報が《期待》していた「いい天気」が問題だったわけですが、次の例では、どんなメカニズムでアイロニーが生まれているのでしょうか。

環境保護問題に熱心な活動家の両親が自分の家庭をないがしろにしている。子供がこうぼやく。

「わが家だって一つの環境なのに」

ここで鍵となっているのは「環境」という言葉です。活動家の両親の頭にある環境はおそらくある種の文脈限定的な「(保護すべき) 自然環境」であり、それに対して皮肉なコメントを加えている子供の言う環境はより広い意味で、「人間や生物を取り巻き、それとある関係を持って、直接、間接の影響を与える外界」(精選版日本国語大辞典〔小学館〕)、あるいははるかに狭い意味で「家庭環境」を指しているようです。

ですから、《現実》内の荒れた天気と《期待》内のいい天気がコネクターで結ばれているのとは、少しパターンが異なり、《現実》にうまくいっていない家庭環境と、両親の《期待》内で熱心に保護されている自然環境とがコネクターで結ばれて、アイロニカルな対照が浮き彫りになっているのです。つまり、どちらの意味にも取れる「環境」という語がコネクターとなって、二つのスペースを結び付けていると考えることができそうです。

2・3　アイロニーに隣接する修辞法

緩叙法と誇張法

①（映画『オズの魔法使』［ヴィクター・フレミング監督、ジュディ・ガーランド主演、一九三九、米］でオズの国に来たドロシーが犬のトトに向かって言う）
「トト、何だか私たち、カンザスじゃないところに来ちゃったみたい」

②（レストランで出された料理が思いのほか生ぬるかった）
「ほんと、あつあつだね、これ」

『オズの魔法使』の冒頭、竜巻で家ごと吹き飛ばされたドロシーは、見知らぬ土地に降り立ちます。その場所はどう見ても元いた場所カンザスではありません。しかし、あっけに取られた彼女はトトに向かって、「何だか私たち、カンザスじゃないところに来ちゃったみたい」と言います。ポイントは、「何だか……みたい」という部分です。明らかにカンザスではない、それどころかこの世とは思えない風景の中で、とぼけた調子で「何だかカンザスじゃないところに来ちゃったみたい」と言われると、アイロニカルなユーモアが漂います。

このユーモラスなアイロニーの源について考えてみましょう。《現実》においては、どう見ても見知らぬ不思議な土地に来てしまったドロシーですが、彼女はもちろんそんなことは信じたくないし、信じられません。彼女の《期待》においては、そこはそれほど途方もない土地ではなく、せいぜい「カンザスじゃないみたい」に感じられる程度の日常的な土地なのです。ですから、《期待》に言及する「何だかカンザスじゃないみたい」という発言にはアイロニー的なニュアンスが感じられるのです。

これと対照的なのが、②の例です。この場合、あつあつの料理を期待していたのに、実際には生ぬるいのですから、メンタル・スペース的に言い直すと、《現実》では料理が「生ぬるい」のですが、《期待》では料理は「あつあつ」ということです。「生ぬるい」ものを大げさに「あつあつ」と表現するような修辞法は、「誇張法」と呼ばれます。誇張法が常にアイロニーと結び付くわけではありませんが、この例のように、誇張した事態が期待した事態と一致する場合にはアイロニーが生じます。

誇張法とは逆に、大雨が降っているのに「少し雨が降ってきたみたい」と言ったり、明らかに異国・異世界に来ているのに「カンザスじゃないみたい」と言ったりするような、度合いを弱める表現は「緩叙法《かんじょ》」と呼ばれます。これもまた、アイロニーと必然的に結び付くわけではなく、度合いを弱めた事態が期待した事態と一致する場合にアイロニーが生じるのです。

アイロニー的なおち

父（テレビのプロレスを見ながら）「父さんが全盛の頃なら、ハルク・ホーガンなんかほんの数秒でフォールできたさ」

息子（母に）「ほんと、ママ？」

《現在の現実》	《過去の現実》または《期待》
・弱い父親	・全盛期の（強い）父親

図14　《過去の現実》なのか《期待》なのか

母「まあね」

母（最終コマで）「もちろん、お父さんが全盛の頃は、ハルク・ホーガンはまだ幼稚園なんだもの」

（フォコニエ『思考と言語におけるマッピング』一三九に引用されたコミックの例）

父親は、「全盛の頃」の自分の力を息子に自慢しています。それは、おそらく父の主観的《期待》の中にしか存在しないものですが、一応、《過去の現実》のものとして提示されています。そして、母親はそれを「まあね」と追認するかに見えますが、最後にどんでん返しが待っています。このおちにはどことなくアイロニーが感じられます。その理由を考えてみましょう。（図14）

父親の主張は、「（《過去の現実》または《期待》内にいる）

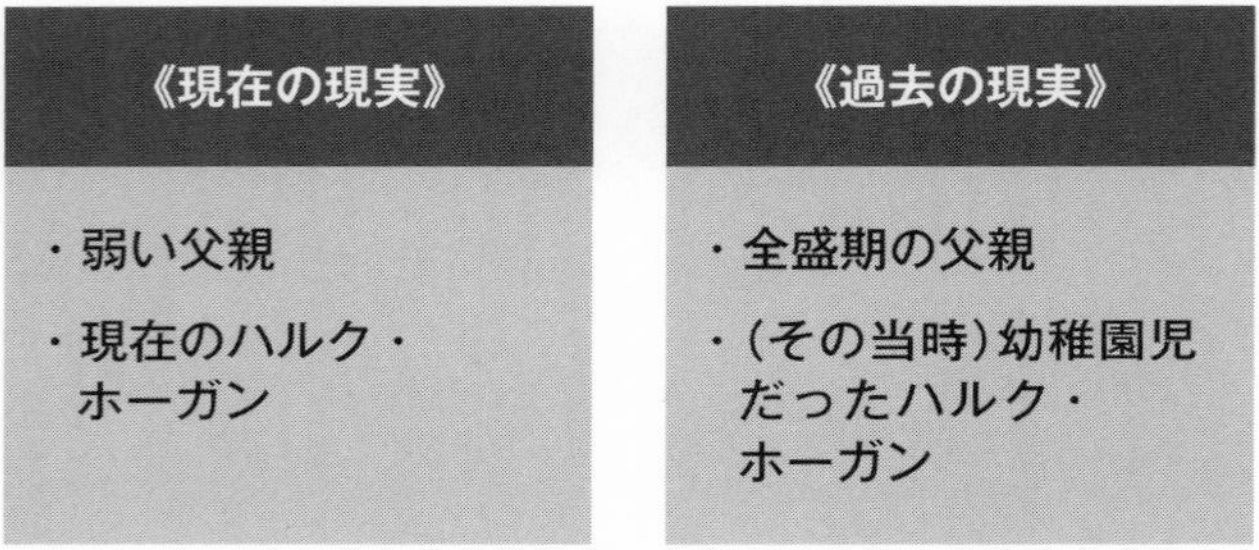

図15　いつのハルク・ホーガンと対戦するのか

全盛の父親∨（《現在の現実》内にいる）ハルク・ホーガン」だと略記できます。ポイントは、「（《現在の現実》内にいる）ハルク・ホーガン」という中のかっこ付きの部分――「《現在の現実》内にいる」という部分――が明示されていないことです。母親の返事は、最後まで聞いてみると実は、「（《過去の現実》または《期待》内にいる）全盛の父親∨（《過去の現実》内にいる）数十年前のハルク・ホーガン」ということを追認しているにすぎません。（図15）

とはいえ、アイロニー的なユーモアを感じさせる母親の最後のせりふには、なぜか、《期待》に言及する部分はありません。母親が冗談めかした言い方で念を押しているのは、要するに、「父親∨ハルク・ホーガン」という図式が何らかの《現実》において成立したことはないという点です。結局、母親の見かけ上の追認の結果として、父親の主張は単なる《期待》でしかないことが言外に含意され、その自慢話が

《現実》とは異なる法螺《ほら》だと露見してしまうのです。つまり、母親の発言自体は《期待》に言及していないにもかかわらず、その言葉から遡及的に、「さっきの父親の言葉は《期待》への言及だったのだ」と思わせるから、アイロニー的に響くのです。

2・4　シグニファイング・モンキー

シグニファイ

ヘンリー・ルイス・ゲイツ・ジュニアという文学研究者が『シグニファイング・モンキーもの騙る猿／アフロ・アメリカン文学批評理論』という著作を一九八八年にアメリカで発表したとき、大きな話題になりました。そこで提唱された批評理論の基礎にあったのが、アフリカ系アメリカ人たちの口語文化に根付いた「シグニファイ」という修辞です。

「シグニファイ（signify）」という単語は通常、「意味する」という程度の意味を持つ動詞にすぎないのですが、アフリカ系文化の中では「茶化す、揶揄《やゆ》する、模倣する」など複数の意味を担っています（邦訳ではそれらのニュアンスを含めるために、「物語る」をもじって、

「もの騙る」という凝った訳が採用されていますが、本書ではカタカナのまま「シグニファイ」とします）。その意味を確定するのは非常に難しいのですが、例えば次のような特徴を列挙することができます。

1. シグニファイは「どんな事柄でも意味することがある」。
2. それは黒人の用語であり、黒人の修辞的技巧でもある。
3. それは「優れた風刺を用いて話をする能力」を意味することがある。
4. それは「不平を言う、おだてる、そそのかす、そして嘘をつく」ことを意味することがある。
5. それは「対象について遠回しに話し、直接主題の核心には触れない性質」を意味することがある。
6. それは「人あるいは状況をからかう」ことを意味することがある。
7. それは「また、手や目を用いて話すことを意味する」ことがある。

（『シグニファイング・モンキー』一一六）

分かりやすくするために少し単純化するなら、通常の「シグニファイ」は「言葉を操る」、アフリカ系文化における「シグニファイ」は「言葉で操る」というのに近いと言えるかもしれません。あるいは既に用いた術語で言うなら、両者の差は、意味論的な意味で言葉を用いるのと、語用論的な意味で言葉を器用に用いるのとの違いに近い。そして、どうやら一部にはアイロニーという修辞と重なる部分もあるようです。ゲイツはそのような言葉の用い方を巧みに文学作品に援用して、アフリカ系アメリカ文学の構造や技法を分析しています。

ここで注目したいのは、アフリカ系アメリカ人たちの口語文化の中で観察されるその「シグニファイ」という修辞法の具体例です。ゲイツが紹介している例をいくつか見てみましょう。

ラウディング

あるバーで何人かの黒人が白人のギャングたちに、彼らの正体が殺人者であることはみんながわかっているということを知らせるエピソードがあるが、その黒人たちは、表面上は音楽のことを述べながら、「しゃれた（killer）」とか「すごい（murder）」といった同音異義語を用いて、その犯罪者たちをシグニファイする。〔結局、その場に居づらくなったギャングたちはそそくさと退散する。〕

（ゲイツ『シグニファイング・モンキー』一一八）

これはアメリカのバーが舞台で、英語が前提になっているので、少し分かりにくい部分があるかもしれません。

もっと身近にある例で言うなら、薄毛を隠すために人知れずかつらをかぶっている男性の横で、その人に聞こえるように別の話をしながら、会話の中にわざと「かぶる」「ずれる」「薄い」のような語彙を混ぜるケースを思い浮かべてみてください。こういう言葉の用い方は「シグニファイ」の一種で、特に「ラウディング」「ラウドトーキング」と呼ばれるものです。この場合なら、ほのめかし、あるいは当てこすりの一種と考えればよいのかもしれません。

マーキング

シグニファイと総称される中には他に、ただ単に第三者の言葉を普通に伝えるのではなくて、馬鹿にするみたいに口調を真似るもの――「マーキング」と呼ばれる――もあり、これもその人をからかう技法になります。

(気取った、見え張りの知人女性をからかうようにその口調を裏声で真似ながら、話し手がある女性のことを紹介する)

「うちの家族はみんな、それぞれに家を持っているんだけど、私が今ここに住んでいるのはただ一時的にそうしているだけなの。家を他人に貸して、自分は安いアパートに暮らす方が、お金が儲かるからよ。みたいな。彼女はそういうタイプの人」

(クローディア・ミッチェル＝カーナン「シグニファイング、ラウドトーキング、そしてマーキング」三二八)

話し手は、「その女性は『……』というようなことを言う人物だ」と平板に説明するのではなく、わざわざその気取った口調を再現します。こうしたタイプの修辞法を指す言葉は日本語にはなさそうですが、一種の当てつけになっていることは私たちにも理解できます。

このマーキングも、先に論じた「丁寧な言葉遣いに込められたアイロニー」や「聞き手の振る舞いが前提としている期待スペース」の例に少し似た形で、見え張り女性が前提としているスペースをその口調によって言及している（揶揄している）と考えれば、アイロニーとの類似性が見えてくるでしょう。

冗談に近いシグニファイ

シグニファイの中にはさらに他に、私たちがここまで見てきたアイロニーとぴったり重なるものもあれば、アイロニーの変種と思われるものも見られます。

（あの男の子を産んだ後で、私〈グレイス〉はもう赤ちゃんは要らないと誓った。一家に四人も子供がいれば充分だと考えたからだ。しかし、そんなふうにはならなかった。妊娠したことが分かったとき、私は少しうんざりし、そのことを誰にも言わなかった。姉〈ロシェル〉がやって来たが、そのときまでには兆候が現れ始めていた……）

ロシェル　おや、あんたは食事をダイエット用の流動食にした方がよさそうだね。

グレイス　（あいまいに）そうね、少しばかり肉が付いたかしらね。

ロシェル　いいかい、あんた、あたしらは二人ともここにずぶ濡れで立っているってのを

《現実》	《比喩》
・グレイスのお腹が出ている	・二人はずぶ濡れになっている
・それは明らかに妊娠の兆候だ	・(それは明らかに雨が降っている証拠だ)
・グレイスはそれを隠そうとしている	・グレイスは「雨が降っていない」と言おうとしている

図16　《比喩》と《現実》の対比

に、あんたはまだ雨が降っていないなんて言おうとするんだからね。

(ゲイツ『シグニファイング・モンキー』一三九)

ロシェルは妹が妊娠していることを見抜いていますが、それを妹に伝えるのに、少し冗談めかした方法を用いています。その際に彼女が用いるのは、一種の比喩です。(図16)

これは《比喩》を用いた修辞であって、あくまでアイロニーとは違うようなのですが、不思議なことに、どこかアイロニーとつながる部分があるようにも感じられます。それはなぜでしょうか。

その点を考えるために、もう一つ、別の本

で紹介されているシグニファイの例を見ましょう。

（夫の仕事はスーツを着るタイプの仕事ではないのに、この日はスーツを着て出掛けようとしている）

妻　あなた、どこへ行くの？

夫　仕事に行くんだ。

妻　スーツにネクタイとワイシャツで？　昇進したなんて初耳だわ。

（クローディア・ミッチェル＝カーナン「シグニファイング、ラウドトーキング、そしてマーキング」三一五‐三一六）

この妻の言葉は明らかにアイロニーに聞こえます。《現実》にはスーツが必要な仕事ではないのに、夫はスーツを着ている。だから妻は、夫が昇進してスーツを着るようなポジションに就いたという《期待》に言及します。ですが、実際には昇進という可能性を考えているようには思えません。ポイントはどうやら、一応、夫の嘘に話を合わせているというところにありそうです。妻が言っていることは要するに、「あなたの言い分を聞き入れるとなると

《現実》	《夫の説明》	妻が信じることを夫が《期待》している説明＝妻から見た《嘘》
・秘密の用事	・仕事	・仕事 ・スーツを着る立場に昇進した

図17　《嘘》スペースが《期待》スペースに変質する

こういうことになるが、そういう理解でオーケーか？」と問い返しているのと同じことです。

つまり、嘘を嘘だと分かっていながら話を合わせる場合、最初の《嘘》スペースが（嘘をついた人物が相手に本当だと思わせたがっている）《期待》スペースに変質し、その結果、アイロニーが生まれるのです。（図17）

ここで一つ前に挙げた、ロシェルとグレイスの会話をもう一度振り返ってみましょう。ロシェルは妊娠を隠そうとする妹を頭から否定するのではなく、その言葉をそのまま受け止めたみたいに振る舞っています。そして、「あなたの言い分を聞き入れるとなるとこういうことになるが、そういう理解でオーケーか？」と問い返している。相手の嘘が分かっていることをどんな言葉で伝えるにせよ、嘘に調子を合わせる限りにおいて（嘘が《期待》として共有されるので）、言葉はアイロニー的な響きを帯びるのです。

第3章　文学作品におけるアイロニー

3・1　アイロニーはちゃぶ台を返す

反復で高まるアイロニー

ここからは、主に文学作品に現れるアイロニーを取り上げて論じようと思います。せっかくなので、まずは格調高くシェイクスピアからの引用で始めましょう。

ローマ市民に人気の高い将軍シーザーは、その人気に不満を覚えるブルータスの一味に暗殺されます。ブルータスたちは決起の動機を筋道立てて説明し、群衆を納得させようとして、それにほぼ成功するのですが、続いて、シーザーの友人であったアントニーにも悼辞を言わせます。その演説は次のように始まります。

ここに私は、ブルータス、その他の諸君の許しをえて――
と言うのも、ブルータスは公明正大な人物であり、
その他の諸君も公明正大の士であればこそだが――
こうしてシーザー追悼の辞をのべることになった。
シーザーは私にとって誠実公正な友人であった、
だがブルータスは彼が野心を抱いていたと言う、
そしてそのブルータスは公明正大な人物だ。
シーザーは多くの捕虜をローマに連れ帰った、
その身代金はことごとく国庫に収められた、
このようなシーザーに野心の影が見えたろうか？
貧しいものが飢えに泣くときシーザーも涙を流した、
野心とはもっと冷酷なものでできているはずだ、
だがブルータスは彼が野心を抱いていたと言う、
そしてそのブルータスは公明正大な人物だ。
諸君はみな、ルペルクスの祭日に目撃したろう、

私はシーザーに三たび王冠を献げた、それを
シーザーは三たび拒絶した。これが野心か？
だがブルータスは彼が野心を抱いていたと言う、
そして、もちろん、ブルータスは公明正大な人物だ。
（シェイクスピア『ジュリアス・シーザー』一一〇-一一一）

長い引用になってしまいましたが、それにはもちろん理由があります。この引用内で、「ブルータスは公明正大な人物だ」というフレーズが四度繰り返されています。アイロニーという修辞のメカニズムを説明するのにこだま理論が不充分であることは既に見ましたが、アイロニーを《期待》への言及と考えた場合でも、こだま的な反復が生む効果は容易に理解できます。

アントニーはシーザーに近しかった人物で、シーザー殺害を非難しないという条件の下で演説する許可を得たわけですが、その巧みな話術によって情勢が逆転することになります。「ブルータスは公明正大な人物」だから自分にも追悼演説が許された、というところから演説は始まり、次に、ブルータスが演出しようとしているシーザー像と、アントニー自身が知

るシーザーの姿が交互に示されています。「シーザーに非はなかった」「シーザーは裏切られた」と明確に断定することがない一方で、自分の知る誠実公平なシーザー像を率直に語り、また同時に、「ブルータスはシーザーが野心を抱いていたと言う」とブルータスの見方を紹介する。

するとと最初は、シーザーが悪者であるようなメンタル・スペースと、彼が英雄であるようなメンタル・スペースとが二つ並置されて、どちらが《現実》で、どちらが《嘘》《勘違い》《思い込み》（あるいは誰かの《期待》）であるのかが宙ぶらりんで提示されることになります。そして演説が進むにつれて、二つのメンタル・スペースの一方はいくつもの具体例で色づけされますが、他方は同じ空疎な言葉の反復で示されるのみです。その対比を繰り返し聞かされれば、どちらに現実味があり、どちらが虚偽なのかは明らかでしょう。

もう一つ、こちらは小説の例を見てみましょう。

　スミスは、ロイはご都合主義者だと言った。やつは俗物だと彼は言った。やつはペテン師だと彼は言った。

ペテン師というのは、スミスの誤解だ。ロイの最大の特徴は誠実さなのだ。二十五年間もペテン師でいられるわけがない。ペテン、つまり偽善というのは非常に難しく、神経の疲れる悪徳であって、決して楽にできることではない。絶え間ない努力とまれにみる図々しさが不可欠である。偽善というのは、不倫をしたり食卓で大食いしたりするように、暇のときに行うわけにはいかない。四六時中行うものだ。

（ウィリアム・サマセット・モーム『お菓子とビール』二一）

最初の部分で「スミス（彼）は……と言った」という形が単調に三回繰り返されていることが、後で徐々に効いてきます。新段落の冒頭でロイの誠実さを強調することで、彼に対する評価が（一瞬ですが）百八十度ひっくり返されます。ところがそれに続く部分では、誠実さから《期待》されるもろもろの性質や行動とは正反対に、ペテンや偽善をあくまで徹底して（誠実に）貫いてきたことが暴かれます。そこでの語り口は、最初の三文とは対照的に、文型の点でも語彙の面でもバリエーション豊かです。

こうした例を見る限り、アイロニーという修辞技巧は、反復との相性がとてもよさそうです。

アイロニーで切り返す

「いつも災難、いつも面倒、いつも何か新しい厄介事がもちあがるんだ！　人間がこの世界に生れたのはまちがっていたんだよ、でなきゃ、もう少しましなふうにできてるはずだ！」

「わたしが前から言っていたことだ。おまえたち種族が生れたのは、まちがいだったよ」アミガサダケの声が響いた。

「おまえが邪魔するまでは幸せだったんだ」グレンは鋭くいった。

「植物と同じになな！」

この皮肉に腹をたてて、グレンは太い氷柱の一本をつかんで引っぱった。

（ブライアン・W・オールディス『地球の長い午後』二一一）


ここに引用したのは、ニューウェーブSFの代表的作品の一つ『地球の長い午後』の一節です。舞台となっているのは、遠い未来の地球で、そこは巨木が大地を覆い、さまざまな食肉植物が繁茂する、植物の王国です。知能の衰えた人類はそこで細々と生き延びているのですが、主人公グレンは、知的生物のアミガサダケを寄生させることで、格段の知恵と判断力を手に入れます。加えて、物語の中では、はるか昔——私たちにとっては直近の過去においてーー人類が進化の過程で知的な飛躍を遂げたのは、今のグレンと同じように、人間がアミガサダケと共生関係に入ったからだと判明します。これが引用を取り囲む文脈です。

「植物と同じにな!」というアミガサダケの反論はこの小説の中の《現実》に言及していきます。「アミガサダケが寄生する以前は、人間は植物と同じ程度に幸福だった」という考えは、アミガサダケが現実に正しいと思っていることですから、この発言は《期待》に言及しているのではありません。

アミガサダケの皮肉の効果は、グレンの発言にさかのぼって生まれています。このパターンは、既に「ハルク・ホーガン」の例で分析した例に似ています。ここでも順を追って考えてみましょう。

グレンが「おまえが邪魔するまでは幸せだったんだ」と言うとき、彼が意味しているのは、植物程度の幸福ではなく、もっとはるかに大きな幸福のはずです。この時点ではもちろん彼の発言は人間にとっての過去の《現実》に言及しています。ところが、そこに「植物と同じに」と付け加えられてしまうと、「アミガサダケが寄生する以前は、人間は植物と同じ程度に幸福だった」、つまり「アミガサダケが寄生する以前の人類はあまり幸福ではなかった」という意味に書き換えられてしまいます。アミガサダケが語っているのはそのまま、小説内の《現実》であり、グレンもそれを認めざるをえません。

そして、アミガサダケの反論が行なわれると同時に、別の現象が起こります。すなわち、《現実》に言及していたはずのグレンの言葉が、単なる幻想――《期待》への言及――にすぎないことが暴かれてしまうのです。つまり、アミガサダケの発話は、それ自体が《期待》スペースへの言及なのではなく、《現実》スペースに言及していたはずの相手の先行発話にさかのぼり、それを《期待》に言及するものに変化させている（つまり、「先ほどのおまえの発言は、単なる思い込みに過ぎない」と指摘している）わけです。

非常に込み入ってきたので、図を使って整理しましょう。（図18）

この図では、左側にある、グレンが考える《現実》が出発点になります。そしてアミガサダケがそれに対抗して、右側のような本当の《現実》を突きつける。すると、それが最初の発言に跳ね返ってきて、グレンが抱いていた考えはただの幻想、《期待》にすぎないことが明らかになってしまう。という流れです。

グレンが考える《現実》 →これは幻想だと暴かれる つまり、これはグレンの 幻想、《期待》にすぎない	（アミガサダケが語る） 小説内の《現実》
・「かつて人間は幸せだった」	・「かつて人間は、植物と同じ程度に幸せだった」

図18　グレンの考える《現実》はただの《期待》！

アミガサダケの返答には、愚かなふり、とぼけたふり、見えないふりをするような、偽装的な部分はありません。この種のアイロニーは、相手の先回りをし、相手の愚かさを暴くのです。《現実》を語っていると思い込んでいる人物が実は《期待》を語っているに過ぎないことを、本人の言葉を使って（それに乗じる形で）示して見せているわけです。

「ダニエル様の再来だ」

（法学博士に変装した）ポーシャ　だからシャイロック、
おまえが正義を要求するのはわかるが、考えてみろ、
正義のみを求めれば、人間だれ一人救いには
あずかれまい。そこでわれわれは慈悲を求めて祈る、
その祈りそのものが、われわれに慈悲を施せと
教えているのではなかろうか。こういう話をしたのも

おまえの要求する正義をやわらげようと思えばこそだ、
だがぜひにと言うなら、きびしいヴェニスの法廷は
やむをえずこの商人に不利な判決をくだすことになる。〔中略〕
シャイロック　名判官ダニエル様の再来だ、そう、ダニエル様だ！
年はお若いが名判官だ、ご尊敬申し上げます！〔中略〕
ポーシャ　その商人の肉一ポンドはおまえのものである、
当法廷がそれを認め、国法がそれを与える。
シャイロック　公明正大な裁判官様だ！〔中略〕
ポーシャ　待て、あわてるな、まだ申しわたすことがある。
この証文によれば、血は一滴もおまえに与えていない、
ここに明記されているのは、「肉一ポンド」だけだ、
したがって証文どおり、肉一ポンド受け取るがいい、
だが切りとるときに、もしキリスト教徒の血を
一滴でも流せば、おまえの土地・財産はすべて、
ヴェニスの国法に従い、国庫に没収される、

そう心得るがいい。

グラシアーノー　ああ、公明正大な裁判官様だ！　聞いたか、ユダヤ人！〈中略〉

ポーシャ　待て！

このユダヤ人が受けとるのは正義だけだ、はやまるな。

証文に記された抵当以外はなにも与えてはならない。〈中略〉

グラシアーノー　ダニエル様の再来だ、ダニエル様だぞ、ユダヤ人！

（シェイクスピア『ヴェニスの商人』一三九 - 一四七）

前項の例に似たアイロニーを再びシェイクスピアの芝居に見てみましょう。

『ヴェニスの商人』の有名な裁判の場面で、最初、自分に有利な判決が下されると思った原告シャイロックは「名判官ダニエル様の再来だ、そう、ダニエル様だ！」と歓喜します。ところが、最後まで聞いてみると、判決は相手方の全面勝利に転じます。被告であるアントーニオの友人、グラシアーノーは、シャイロックの言葉を逆手に取り、「ダニエル様の再来だ、ダニエル様だぞ、ユダヤ人！」とこだまのように言い返し、アイロニーが生じます。一見したところでは、こだま理論で扱うのがもっともふさわしい、典型的なこだま的アイロニーのように見えるこのやり取りですが、詳細に見ると、そう簡単ではありません。

アイロニーのこだま理論によれば、アイロニー発話者は自分がこだまする言葉から距離を置いて発話するということになるはずです。では、このグラシアーノーは、ポーシャのことを「公明正大な裁判官」だと思っていないのに、そう言っているのでしょうか。いえ、明らかにそうではありません。それどころか、グラシアーノーは、「シャイロックよ、まさにおまえの言う通り、この方は名裁判官だ」と言っているのです。ただ、「名裁判官」が下す判決が、当初の大方の予想（およびシャイロックの《期待》）とは異なり、グラシアーノーの期待に沿うものだったということです。

「ダニエル様の再来だ」というシャイロックのせりふは、もちろん、もともとは《現実》に言及するものだったのですが、裁判の進行とともにシャイロックの予想が裏切られていきます。そして、グラシアーノーがシャイロックとまったく同じ言葉を借りて「ダニエル様の再来だ」と言うとき、この発話はシャイロックの《期待》――裏切られた《期待》――に言及しているのです。

前項のアミガサダケは、相手の発話に一言付け加えることによって、相手の意図を見事に逆転させました。グラシアーノーは、シャイロックの言葉をそのまま繰り返しているだけなのですが、状況が逆転しているために、シャイロックの意図がひっくり返りました。どちらの切り返しも、相手の言葉を生かしつつ、見事に意図を反転させているのです。

3・2　哲学におけるアイロニー

来たるべきバカのために

気鋭の哲学者である千葉雅也が二〇一七年、『勉強の哲学　来たるべきバカのために』という挑発的なタイトルの著書を発表して話題になりました。そこでは主に「勉強とは変身、自己破壊である」ということが説かれています。その過程で破壊され、乗り越えられていくものは「行為の『目的的・共同的な方向づけ』」、あるいは「環境のコード」（一六）、別言するなら、共同的な行動規範や価値判断です。そうした勉強を進めていく方法として、ユーモアとアイロニーの二つが挙げられています。「アイロニーとはツッコミ（自覚的な）であり、会話のコードを疑い、批判するもの」だという説明があって、次のような例が挙げられています。

たとえば、何人かでケーキ・バイキングに来ている状況を考えてみましょう。
「クリームが滑らかだね」とか、「メロンがいい香り」とか、無難に感想を言っていて、それで「そっちのはおいしい？」と声をかけられた。で、わざとアイロニーで答えてみる。

「……おいしいって答え以外、許されてるの？（笑）」とか、どうでしょう。
感じが悪い。意図的に場から「浮こう」としている。
こんなふうに言われたら、その後みんなは、素直に「おいしい」と言えなくなる。
〔中略〕
「おいしい」と言えることの根拠に攻撃を向けているのです。

（千葉雅也『勉強の哲学　来たるべきバカのために』八〇 - 八一）

ちなみに、「（笑）」というのは既に見た、アイロニー発話を合図する標識の一つでした。
千葉はアイロニーのポイントを「自分が従っているコード〔規範〕を客観視する」、その上で「コードを疑って批判する」（七五）ところにあると考えています。つまりは、先に見たアミガサダケやグラシアーノーが話し相手に差し向けたような切り返しや一種の言葉遊びを通じて、自らが依拠する規範・思考パターンを問い直す姿勢がアイロニーだというのです。

ひょっとすると、これは本書で既に見たアイロニーとは少しずれているように思われるかもしれませんが、そうではありません。ハルク・ホーガンやアミガサダケの例に典型的に見られるような、「あなたの話は《期待》でしか成り立ちませんよ」、あるいは「あなたの発言は〇〇という《期待》を前提にしていますが、それでいいのですか？」と切り返すタイプのアイロニーはまさに千葉が論じている通りの効果を持っています。

そうしたアイロニーは確かに、周囲や世間、あるいは自分自身が知らず知らずに抱いている規範＝《期待》に言及することで、それと対になる《現実》との対比を浮き彫りにする技術となりえます。

ユーモア

千葉は『勉強の哲学』で、ユーモアをアイロニーの対として挙げており、興味深いので、それについてもここで簡単に触れておきましょう。彼はアイロニーを「根拠を疑う」こと、ユーモアは「見方を変える」こととまとめていて（千葉　九一）、次の例で詳しく論じています。

たとえば、友達の恋愛について噂話をしている。

Aがに Bにひどいことを言って、それで別れそうになったけど、結局よりを戻し、でもまたトラブルがあって、どうのこうの……。「Aってそういうとこヤバいよね」、「最悪だわ」、「Bは我慢してたらまずいよ」などと、Aを非難し、Bを心配する流れになっている。〈中略〉

そこで、こんな発言が出るとする……「うーん、それってさ、音楽なんじゃない？」

〈中略〉

他のみんなは、ズレたキーワード＝「音楽」を、これまでの流れに合わせて、なんとか解釈するように強いられる。ズレを回収しなければならなくなる。

（千葉　九二 - 九三）

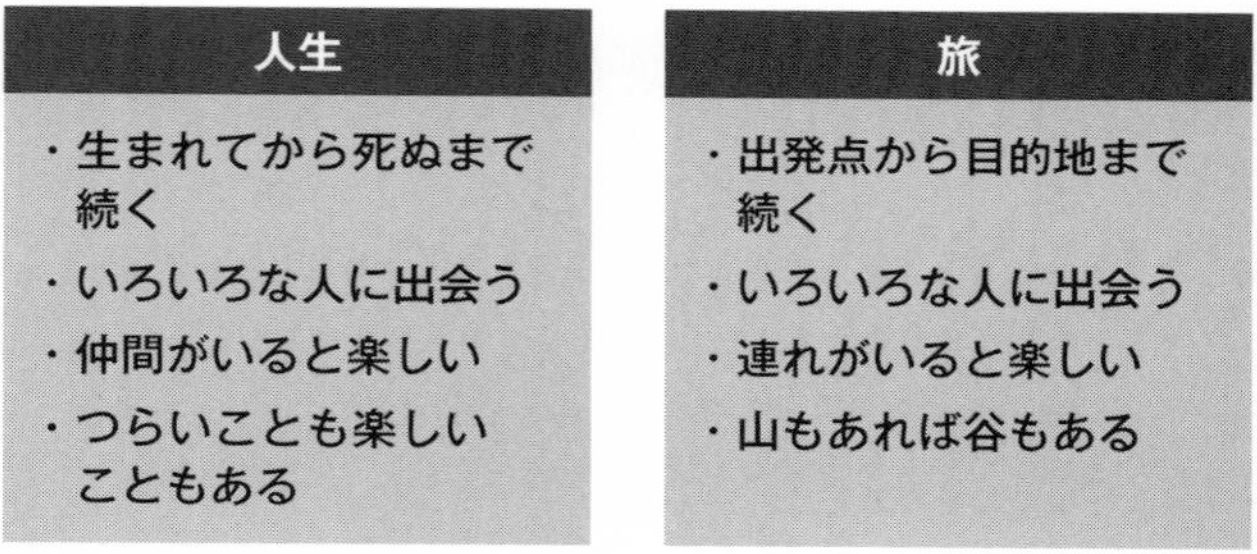

人生	旅
・生まれてから死ぬまで続く	・出発点から目的地まで続く
・いろいろな人に出会う	・いろいろな人に出会う
・仲間がいると楽しい	・連れがいると楽しい
・つらいことも楽しいこともある	・山もあれば谷もある

図19　複数の要素の類似性で成り立つメタファー

ユーモアとは、こうして解釈の規範《コード》をずらすこと、コードを変換する行為だと彼は言います。

千葉が他に挙げているユーモアの例はバラエティーに富んでいて、やや全体の統一原理が分かりにくいのですが、少なくともこの例は、彼が考える典型的なユーモアが一種のメタファーなのかもしれないと思わせる点で興味深い。つまり、恋人の間に起きたトラブルを時には戦争のようなメタファーでとらえる仲間が多い中で、この一人浮いた人物が突然、「音楽」というメタファーを持ち出すことで全体の見方、あるいは見立てが変わるのです。

恋愛の話の前に、まずはもっと分かりやすいメタファーを取り上げましょう。「人生は旅である」というメタファーをメンタル・スペース的に理解する場合、基底スペースと投射スペースの間で、いくつかの要素が類似性に基づいたコネクターで結ばれています。（図19）

これは日常的な比喩ですから、ことさら何かがずれたとは感じません。しかし、恋愛関係のトラブルを「音楽」にたとえるメタファーを理解するためには、当然、そこにどんな類似性があるのかを考えることになります。恋愛を、「旅」というメタファーでとらえた図と、「音楽」のメタファーで理解した場合の図を二つ並べてみましょう。「旅」はよく用いられるメタファーですから、類似性を思い浮かべやすいですが、「恋愛」と「音楽」の類似性はそれに比べるとイメージしにくいはずです（ここでは千葉自身が挙げている類似点〔千葉　九四〕を引用）。（図20）

千葉が『勉強の哲学』において二つの主軸としているアイロニーとユーモアをともにメンタル・スペースの問題としてとらえ直すなら、アイロニー・コネクターが結ぶ要素の相異性と、メタファーのコネクターが結ぶ要素の類似性とが奇《く》しくもここでセットになっているわけです。

これは人間の認知や知的営為に関して何か重要なことを示唆しているようでもありますが、それを論じ始めるとまた相当な量の実例と分析が必要になりますので、ここではただ、アイロニー同様、ユーモアもメンタル・スペース的に理解できる可能性があることだけを指摘しておくことにします。

恋人間の関係	旅
・終わらないこともあれば、終わることもある ・現在の状態、二人の将来が見えなくなることがある ・嫌なことばかりなら別れればいい	・終わらないこともあれば、終わることもある ・現在地、目的地を見失うことがある ・嫌なことばかり起こるならやめればいい

恋人間の関係	音楽（における何か）
・衝突することがある ・仲良くできることもある	・音と音とがぶつかり合うことがある ・和音になることもある

図20　恋愛と音楽の類似性

脱構築

現代の思想家で、アイロニー的な姿勢を「脱構築」と呼ばれるものとして哲学にまで高めたのはフランスのジャック・デリダでした。ここではその手法を非常に分かりやすく例解する英文学者、大橋洋一の文章を見てみることにします。

ある大学の先生が、予備校教育の悪口をいって、「予備校では受験テクニックを優先して○×式の発想しか教えないが、大学では○×式の発想ではなく、複雑で柔軟な思考を重視するのだ」と語ったとします。これに対して、「わたしは予備校に通ったことがあるが、予備校の先生は決して○×式の教育ではなく、むしろ大学の先生よりもはるかに思考を刺激するすぐれた授業をしてくれた」という類の反論をすることは可能ですし、それは有効です。けれども脱構築批評の場合、相手の主張を外部からではなく、内部から崩すこと、内破することを選びます。〔中略〕つまり、こうです。この大学教師は大学では○×式では教えないと言っておきながら、予備校教育は×、大学教育は○という、まさに○×式の発想で語っているのです。これで脱構築終わり。

（大橋洋一『新文学入門』一三九 - 一四〇）

アイロニーは、時にこうして単なる修辞を超え、「相手の主張を外部からではなく、内部から崩す」知的技法としても援用可能です。

アイロニカル・リベラリズム

千葉雅也のいうアイロニーや脱構築的な内破を突き詰めていくと、今、自分がよって立っているところの基盤を無限に壊し続けるタイプの哲学を思い描くことが可能になります。そうした方向の極北にいるのが、自らの立場を「ポストモダン・ブルジョア・リベラリズム」と位置づけ、「アイロニー主義者《アイロニスト》」を自称するアメリカの哲学者リチャード・ローティです。彼は「アイロニー主義者《アイロニスト》」を次のように定義します。

> アイロニストとは以下の三つの条件を満たすものであると定義してみよう。第一に、自分がいま現在使っている終極の語彙〔引用者注　自分の行為、信念、生活を正当化するために人が用いる一連の言葉のこと〕を徹底的に疑い、たえず疑問に思っている。な

ぜなら、他の語彙に、つまり自分が出会った人びとや書物から受け取った終極の語彙に感銘を受けているからである。第二に、自分がいま現在使っている語彙で表された論議は、こうした疑念を裏打ちしたり解消したりすることができないとわかっている。第三に、自らの状況について哲学的に思考するかぎり、自分の語彙の方が他の語彙よりも実在に近いと考えてはいない。つまり自分の語彙の方が他の語彙よりも実在に近いところにあり、自分以外の力〔たとえば、合理性、神、真理、歴史〕に触れている、とは考えていないのだ。

（リチャード・ローティ『偶然性・アイロニー・連帯』一五四）

「神」「理性」「科学」のような終極の語彙を徹底して疑い、常にそれを批判的に乗り越えていく一方で、新たに得た自分の語彙が他の語彙よりも実在に近いところにあるとは考えない――この姿勢に違和感を覚える読者もいらっしゃるでしょう。一段階ずつでも、実在あるいは真理に近づくのでなければ、真の哲学ではないと思うのも無理はない気がします。その点でも、ローティは皮肉屋《アイロニスト》という名にふさわしい哲学者なのかもしれません。

ともあれ、修辞的なアイロニーにせよ、哲学的なアイロニーにせよ、一つの前提に疑いを差し挟むという部分が肝要なので、その先で見えてくる新たな地平がより真実に近いかどうかはまた別の問題として、その点についてこれ以上、掘り下げるのは控えることにします。

3・3　結果が期待を裏切るとき

「アメリカ人であるとはどういうことか？」

「アメリカ人であるとはどういうことかについて作文しなさい」という宿題をジェシーが学校からもらってきた。

「やれやれ」。リーフ〈ジェシーの父親〉は、自分の父親がダイナマイト関係の活動〈鉄橋などを破壊するテロ行為〉に出かける前によく見せていたのと同じ表情を浮かべていた。「ちょっとその鉛筆を貸してみろ」

「もう書いちゃったよ」。ジェシーが仕上げていた作文はこんなふうだった。

「アメリカ人であるとは、言われた通りのことをして、与えられたものを受けとって、ストライキをしたりしない、さもないと、兵士に撃ち殺されるということである」

「それがトピックセンテンスってやつか？」

「これで全部さ」

「へえ」

返却された答案には大きくＡ＋と書かれていた。「言い忘れてたけど、ベッカー先生は前にコーダレーン鉱山にいたことがあるんだ」

（トマス・ピンチョン『逆光』下八一八）


「アメリカ人であるとはどういうことか？」という問いに対して、例えば「自由であること」と答えるのが理想でもあり、現実でもあると考える人がいるかもしれません。しかし、米国の現代作家トマス・ピンチョンの作品では、反体制的な人々がしばしば共感的に描かれていて、ここで会話をしている親子も無政府主義的なテロリストの血を引く鉱山労働者の一家です。

ですからそのような一家にとって、先の引用にある、「アメリカ人であるとは、言われた通りのことをして……」という返答は、現実認識そのままを語っただけのこと、つまり、《現実》への言及だと言えます。この答えが一般的な教員の《期待》を語っているとは考えにくいし、もちろん、答えている人物がそのような《期待》を抱いているわけでもありません。

しかし、そう考えてもなお、この返答には何かしらアイロニー的なものが感じられます。だとすると、この発言は、どのような形で《期待》に言及していると言えるのでしょうか。

そこには、いわば一周回って元に戻ったみたいな、入り組んだアイロニーがあるようです。第一に、学校で出された課題作文となると、《期待》された内容というものがあると思い浮かびます。ですから、そこに《現実》の事態を記すだけで、アイロニーの構図が出来上がるわけです。普通のアイロニーとは、図式が逆になっているようにも思えますが、当てこすられているのが《期待》であることは変わりません。話者の周囲の期待ともっと大きな社会の期待との間に齟齬《そご》があるパターンとしては、既に論じた「ほめるアイロニー」の例が似ているかもしれません。誕生日祝いに子供たちから思わぬプレゼントを受け取った父親が「くだらんことにお金をかけおって」と言う、あの例です（個人的にはうれしいけれども、頑固親父の観点、あるいは世間の目から見たら「くだらん」ということ）。（図21）

反体制側が《期待》する作文＝《現実》の作文	学校が《期待》する作文
・見たままの現実を文章にする	・理想を記す、模範的な文章を書く
・「言われた通りのことをして……」	・「アメリカは自由の国で……」

図21　当てこすられる《期待》

さらに理屈を言うと、「アメリカ人であるとは、言われた通りのことをして……」と率直に答えられる状況は普通、《現実》には存在せず、《期待》スペースの中でしかありえません。つまり、《現実》には「自由であること」という答え（あるいはそれに似た答え）しか許されていない、ということも言えます。もちろん、それは、「自由の国ならばどんなことでも自由に言えるはずだ」という論理的な問題でもありますが、それだけではありません。『逆光』のこの場面の時代設定は一九二〇年ごろ、この小説が出版されたのは二〇〇六年で、どちらの時代も、アメリカという国が非常に抑圧的になった時期なのです。

ただ、これだけで終わらないのがピンチョンという小説家の面白いところです。ここで普通の読者は次のように考えるでしょう。「さすがにこの答えはまずいだろう。しかも、作文にしては分量が少なすぎる。先生の評価は厳しいものになるだろうな」と。この《期待》に反して、答案はA＋の評価を受けるのです。これは、次項で紹介する「運命のアイロニー」に似ています。

運命のアイロニー

運命のアイロニーとは基本的に、芝居などで劇的アイロニー（これは実際の芝居の例を使って少し後で検討します）と呼ばれるものと大部分が重なると考えて差し支えありません。つまり、「劇中人物が自らの状況のなかにいて知らずにいることを、観客が知っていて、劇中人物という当事者の無知を目のあたりにする効果」（『日本大百科全書』）のことです。

文学作品と運命のアイロニーとの間にはほとんど切っても切れない関係があります。古いところでは、『エディプス王』においては、予言された運命を避けようとする登場人物たちの行動がことごとく裏目に出て、すべての予言が実現されてしまいますし、また、短編の名手オー・ヘンリーの有名な作品「賢者の贈り物」ではクリスマスに、妻に櫛を贈ろうとする夫は大事な時計を質に入れ、妻は夫の時計に付ける鎖を買うために髪を切って売ってしまうというすれ違いが起こります。

ただ、運命のアイロニーを示す例の多くは少なくとも短編くらいの長さがあって、丸ごと引用することはできないので、ここでは、珍しくコンパクトにまとめられた例を、劇作家・小説家のサマセット・モームが最後に書いた戯曲から引用することにしましょう。芝居の登場人物である死神が、自分の経験したある出来事について語っています。次の引用はすべて死神のせりふです。

バグダッドに住む商人が、市場へ行って食料を買ってくるよう召使に命じました。しばらくすると召使が、真っ青な顔をして、震えながら帰ってきて、こう言ったのです。「ご主人さま、今さっき市場の人込みの中で、一人の女にぶつかったのですが、振り返ってみると、私とぶつかったのは死神でした。死神は私を見つめ、脅すような身振りをしました。どうか、馬を貸してください。すぐに街を出て、この運命から逃れたいのです。サマーラへ行こうと思います。あそこなら死神に見つからないでしょう」。商人は召使に馬を貸してやりました。召使は馬にまたがると、力いっぱい拍車を食らわせ、全速力で走りました。しばらくして商人は市場に出かけ、人込みの中にいる私を見つけ、近づいてくると、こう言いました。「今朝、私の召使に向かって脅すような身振りをしたそうだが、どうしてそんなことをしたんだ」。私は答えました。「脅したりしませんよ。ただ、びっくりしただけです。あの男とバグダッドで会ったので仰天したんです。だって、あの男とは今夜サマーラで会う約束になっていたんですから」。

（ウィリアム・サマセット・モーム『シェピー』第三幕）

『シェピー』において死神が語るこの寓話は、「サマーラの約束」という名で知られています。商人の召使はある朝、バグダッドの市場で偶然、死神と出会い、サマーラへ逃げる。ところが、死神は「その召使とは今夜サマーラで会うことになっていた」と言います。これこそ、運命の皮肉、運命のアイロニーの典型とも言える事例でしょう。

このアイロニーのメンタル・スペース構造を分析するのは難しいことではありません。鍵になるのは、召使の移動で、それが《期待》において持つ意味と、《現実》において持つ意味との大きな違い、あるいは対称性（対照性）です。召使の《期待》においては、「死神から逃げるため」と位置づけられている移動が、《現実》における「死神と会う約束を果たすため」の移動となっているために、アイロニーが生まれるのです。

次の例も、運命のアイロニーの類例と見なせるかもしれません。シェイクスピア『ジュリアス・シーザー』からの引用です。このアイロニーは前後の文脈がなくても、理解できるでしょう。

キャシアス　さあ、身をかがめ、手をひたそう。千載ののちまでも
われわれのこの壮烈な場面は繰り返し演じられるだろう、
いまだ生まれぬ国々において、いまだ知られざる国語によって。
（シェイクスピア『ジュリアス・シーザー』九二）

芝居の登場人物が「この壮烈な場面は繰り返し演じられるだろう」と語り、それが一種の予言と化したかのように、実際にそれが演じられる場面を観客が劇場で見ている、というアイロニーです。

ただ、ここまでに見たアイロニーが《期待》と《現実》との落差・対比を浮かび上がらせていたことを思うと、この例はやや特殊です。登場人物の《期待》内の出来事と、観客の前で演じられている《現実》の芝居の間には違いや対照性が存在せず、むしろ同じであると言ってもよいからです。この例においては、単に《期待》の中にあっただけの事態が《現

実》になったという部分にはっきりした対比が見られるのがポイントです。

サマーラの約束もキャシアスの予言も、いわばそれを一次元上から眺めたときに初めてアイロニーを読み取ることが可能になります。人間の目から見た近視眼的なビジョンと、死神あるいは後世の観客という大局的観点から見た眺めとが対比・対照を成すところでアイロニーが生まれるのです。

アメリカ民主主義の皮肉

突然ですがここで、現在の民主主義に対する痛烈な批判を行なっている人物の文章を紹介しようと思います。近年、民主主義政体を持つ多くの先進国で、皮肉なことになぜか、独裁的な人物が権力を握ったり、民主的な投票の結果、どう考えても不合理で愚かとしか思えない選択がなされたり、という事象が目立ち始めています。そうした出来事は、実は民主主義という仕組みに内在する欠陥だというのが、例えば、次に引用する反・民主主義者ジェイソン・ブレナンの主張です。

ブレナンは著書の中で、「これまでのアメリカの政策は富裕層の選好と付合する」という政治学者マーティン・ギレンズの研究を紹介します。イラク戦争、妊娠中絶、性的少数者の権利擁護などの点で、低所得、中所得、高所得の各層でそれぞれに支持や不支持が偏りますが、結局は高所得層の意向が反映されやすいという研究です。

これは要するに、金持ちの考えが政策決定においてより大きな力を持っているということですから、一見、批判されるべき深刻な事態に思われます。ところが面白いことに、ブレナンはその事態を歓迎しています。なぜなら、例えば金持ちの手先みたいに考えられることの多かったジョージ・W・ブッシュ大統領はケネディ、ジョンソン、オバマなど近年の他の大統領と比べても、政策において、貧しい人たちの意見に与《くみ》する傾向が強かったからです。つまり、実態としてはむしろ、高所得層には、低所得層に優しいリベラルな意見が多く、低所得層は自らに不利な選好を抱きがちなのです。

私のような道具主義者にとって、ギレンズが示しているような数々の結果は歓迎すべきことだ。それはつまり、民主主義はうまく働いていないからこそ、比較的うまくいっているという事態を示しているのだ。民主主義はすべての市民に等しく声を与えるはずなのだが、そうはなっていない。理由は何であれ、あまりものを知らず、啓蒙されていない政策を支持する人々よりも、より知的で、より多くの情報を持った人々、そしてより啓蒙された政策を選好する人々の意向の方が代弁されやすく、国の政策に反映されやすい。より知的でものを知る人々の方が、政策を左右する傾向がある。

（ジェイソン・ブレナン『反・民主主義』一九八、傍線は引用者）

「民主主義はうまく働いていないからこそ、比較的うまくいっている」という一節には矛盾があります。それはちょうど、第2章で見た、「緑の目の女性が青い目をしている」という言明に含まれていた矛盾と似ています。

民主主義がもしもうまく働けば、「あまりものを知らず、啓蒙されていない人々」の意向が政策に反映されやすくなる。しかし、今までのアメリカでは、民主主義があまりうまく働いていなかったために、どちらかというと金持ち寄りの政策が取り入れられてきた。でも結果的に、それが多数の国民にとって幸福な選択だったというわけです。

《期待》において民主主義は「すべての市民に等しく声を与える」のですが、《現実》にはそうなっていない。しかしその結果、《現実》に、多くの国民に満足を与えている。これは、先に検討した、「運命のアイロニー」を転倒した形のようにも見えます。「逃げるつもりで破滅へ向かう」のが運命のアイロニーなら、今見た民主主義という仕組みは、「駄目なことをやっているのにそこそこ成功してしまう」わけなので、やや珍しい「幸運のアイロニー」と呼ぶことができるかもしれません。

前々項で紹介した、「アメリカ人であるとはどういうことか?」という作文も、幸運のアイロニーに分類できそうです。「アメリカ人であるとは、言われた通りのことをして、与えられたものを受けとって、ストライキをしたりしない、さもないと、兵士に撃ち殺されるということである」という作文は、事実の説明として正しくても、一般的な読者が想定《期待》する教員の目から見れば落第点でしょう。ですが、規範から外れた作文を採点するのは、意外にも、アメリカの苦い現実を知る、規範から外れた教員です。その結果、作文は最高評価を得ることになるのです。

3・4　アイロニーの意図、転倒する価値

拡張されたアイロニーと「内包された作者」

（極度の窮乏状態にあるアイルランドの人口問題と食糧問題を解決する方策について）

それゆえ、私は謹んで以下の案を提出する。おそらくこれに反対する者はいないと思う。

私はかつて、ロンドンで知り合った非常に物知りなアメリカ人から話を聞いたことがあるのだが、その男の話では、栄養の行き届いた健康な赤ん坊は、丸一歳を迎えると、とてもおいしく、健康に良い食物になるらしい。シチューにしても、焼いても、あぶっても、ゆでてもいいとのことだ……。

それゆえ、私は皆さんに以下のことを考えていただきたい。先ほど計算した子供十二万人のうち、二万人を繁殖用に残しておく。男はその四分の一でよい……。残りの十万人は、一歳になったら、国中の貴族や富豪に売る。おいしい料理にするため、最後の一月にはたっぷりお乳を吸わせ、まるまると太らせるよう、母親に言い聞かせるのが良い……。塩かコショウで少し味付けして、特に冬には、殺してから四日目にゆでればいい料理になるだろう。

（ジョナサン・スウィフト「アイルランドにおける貧民の子女がその両親ならびに祖国にとっての重荷となることを防止し、かつ社会に対して有用ならしめんとする方法についてのささやかな提案」）

こだま理論がアイロニーを充分に説明できないことを示す例としてしばしば挙げられるのが、『ガリバー旅行記』で有名な作家ジョナサン・スウィフトの書いた「ささやかな提案」です。これは、ひどい状態に置かれていたアイルランドの貧困を解決する方法を提案するという体裁をとった文章で、その解決法とは、アイルランドの貧民の赤ん坊を豊かな人たちの食物にしてしまえばよいというものです。

明らかにこれは、文字通りの提案ではなく、この貧困を引き起こした宗主国イングランドに当てつけるアイロニーを意図しています。日本語訳にして十数ページ程度の文章ですが、この文章全体を何らかの先行発話の「こだま」と見なすのはかなり無理があるので、こだま理論は「このような文学的な例は特殊なものなので、扱わない」としています。

では、この文章をメンタル・スペース的に分析してみましょう。ここで言及されているスペースは、イングランドが期待していると思われるスペースです。つまり、「ささやかな提案」の語り手（提案者）は、文字通りには「合理的な解決法はこれこれです」と言っているわけですが、それは、想定されるイングランドの視点からの提案です。既に見たように、アイロニー発話が言及するのが第三者の期待である場合には、その意味は「期待されているのはこういうことか？」と問うことになりますから、このケースでは、「イングランドが期待しているのは突き詰めて言うとこういうことだ」と暴きたてているのです。（図22）

ついでに言い足すなら、この文章は、物語論《ナラトロジー》における、「語り手」「内包された作者」「生身の（現実の）作者」などの概念を例示するのにも便利です。まず、「語り手」とは文字通りにこの提案を行なっている人物のことです。次に、「内包された作者」とは、「語り手」の言葉がアイロニーとして理解されることを分かっている人物——いわば、「語り手」よりも

《現実》	イングランドの《期待》
・アイルランドの人口問題と食糧問題は、人道的手段で解決できる（はずだ）	・アイルランドの人口問題と食糧問題は、人肉食で解決できる

図22　イングランドが《期待》しているスペース

一つ上のレベルにいる存在——です。しかし、それは生身の作者であるスウィフトであるとは断定できません。なぜなら、実際に精神的に不安定だった彼は本気で「語り手」と同じ信条を抱いていたかもしれませんし、いずれにせよ生身の作者の真意は（仮に存命であっても真実を語るとは限りませんから）確かめようがないからです。

こうしてみると、アイロニーを分析するために導入したメンタル・スペース理論は物語論にも適用できそうです。「語り手」は、ある仮想スペースにおける発話者であり、それと現実スペースをつないでいると想定されるのが「内包された作者」ということになります。

動物裁判、物体裁判と樹木の当事者適格

もし動物が、荷を運ぶ動物でも、その他の動物でも、

誰かを殺した場合は……近親者は、その動物を殺人のかどで訴えるべきである。そして近親者から指名された地方保安官が……裁判を行なって、その動物に罪がある場合は、これを殺して国土の境界の外に投げ捨てるべきである。

また、何か生命をもたない物体が、人間から生命を奪った場合は、――ただし稲妻とか、天から何かそのような矢が落ちてきて死んだ場合は別として、それ以外のもので、人がその上に倒れたために、あるいは、そのものが人の上に落ちてきたために、その人を殺したというような場合であるが――、そのときには、近親者はいちばん近い隣人をそのものに対する裁判官にしてこれを裁かせ、このようにして自分自身のためにも親族全体のためにも死者の償いをしなければならない。そしてその物体に罪があった場合は、動物の場合について述べられたと同じように、国土の境界の外に投げ捨てるべきである。

(プラトン『法律』下二一五‐二一六)

スウィフトの「ささやかな提案」を読んだ後で、この一節を目にした読者は、出典を知らされなければ、おそらく、この文章をアイロニー的な風刺を意図したフィクションだと考えるのではないでしょうか。そこに書かれている内容は、中世の動物裁判をさらに極端にしたような無生物裁判を取り上げています。もちろん、あるべき法律を説くのがこの文章の本来の意図なのですが、これがアイロニーとして読める原因を考えてみましょう。

一方に、私たちの現実の世界認識（《現実A》）があり、他方に、ある文章が前提としている世界認識（もう一つの《現実B》）がある。そして、《現実A》に軸足を置いて《現実B》をながめるときには、人間のみならず動物や無生物にまで犯罪的意図を認めて処罰する、私たちの社会とは異質な社会の異様さが前景化され、それは《現実》というより、誰かの《期待》の中にある社会だろうと感じられるので、アイロニーのように聞こえるのです。

しかし考えてみれば、時代とともにものの見方や価値観は大きく変わるのですから、私たちの周囲では常に、新たに現れようとしている価値観と現在の規範とがぶつかり合い、保守的な人の目から見れば、滑稽な風刺にしか見えない斬新な主張がなされています。ここでは、動物裁判に似た例を一つ取り上げてみましょう。


ダーウィンは『人類の由来』において、人間の道徳的発展の歴史は、その「社会的本能と同情」の対象を絶え間なく拡張してきた歴史である、と述べている。〔中略〕「人間の同情は、さらに敏感で広い範囲に及ぶものとなり、それはあらゆる人種、知的な障碍《しょうがい》を持つ者、身体的な障碍を持つ者、さらにその他、社会の役に立たない人々にまで及び、ついには、より低レベルの動物にまで拡張されていった……」。

法の歴史も、これと同じように発展したことを暗に示している。〈中略〉子どもの法的権利はそれ以来、原則的には認められるようになり、実際、今も拡張されつつある。〈中略〉不完全な形という意見もあるだろうが、囚人、外国人、女性（特に既婚者）、精神病患者、黒人、胎児、アメリカ先住民についてもそれと同様に、法律上、人として扱うようになってきた。〈中略〉

読者は今や、途方もないことについて私がこの小論を書いた理由を、論文のタイトルからだけでも理解されたに違いない。私はまったく大まじめに、森、海、川、その他いわゆる環境の中にある「自然物」、そしてまた自然環境全体に、法的権利を与えるよう提案する。

（クリストファー・ストーン「樹木の当事者適格　自然物の法的権利について」五八-六〇）

ここに引用したのは、一九七二年に発表されて、特に環境保護運動の文脈で大きな話題を呼んだ論考の冒頭部分です。南カリフォルニア大学のロースクールの教授であったストーンはこれに続く本論において、冗談半分ではなく、ちゃんとした法律論文の形式に従い、内容面でも、容易な反論を許さない緻密さで、自然物に法的権利を付与する可能性を説き、私たちにまったく新たな価値観・視点を示しています。

千葉雅也が論じるように、アイロニーという現象を見るとき、私たちは単に修辞的な側面にばかり目を向けるのではなく、時には、既存のコードを破壊・否定するその効果の方にも注目すべきなのかもしれません。

3・5　もつれるアイロニーと小説

形式に込められたアイロニー

イギリス風ユーモア小説の傑作としてしばしば取り上げられて、つい最近、新訳も刊行されたジェローム・K・ジェロームの『ボートの三人男』にはいろいろなタイプの笑いの仕掛けが使われていますが、次の引用はアイロニーの一種と見なすことができそうです。

（主人公の「ぼく」はたまたま病気に関する本を読み、自分があらゆる病気にかかっていると思い込んで、かかりつけの医者のところに行く）

彼はぼくを寝台に横にならせ、胸をあけた。上からじろじろ見おろし、手首をつかまえた。それから、こっちがぼんやりしてる所を見すまして胸のへんを突然たたいた。(あれはどうも卑怯な態度だと思う。)そして次には直ちに、頭の横の部分でぼくの胸をこづいた。それがすむと、椅子に腰をおろして、処方箋を書き、それをたたんで、ぼくに渡した。ぼくはそれを受取って、ポケットにつっこみ、彼の所を去った。

ぼくは処方箋を開けて見もしないで、最寄りの薬屋へゆき、それを手渡した。薬剤師はそれを読んでから、返してよこした。

こういう品は備えつけてない、と言うのだ。

「君は薬剤師じゃないのかね!」

と言ってやると、

「薬剤師ですよ。消費組合の売店兼ホテルをやってるんでしたら、お役に立てたかもしれません。何しろ、薬屋なもんですから」

と答えた。処方箋を読むと、それにはこうあった。

ビフテキ　一ポンド

ビール　一パイント(六時間ごとに服用)

散歩　十マイル(毎朝)

就寝　正十一時（毎晩）
小難しいことはいっさい頭に詰めこむな。
ぼくはこの指図に従ったのだが、結果はすこぶる良好だった。（他人は迷惑したかもしれないけれども。）すなわち、ぼくは命びろいをし、そしてぼくの命はまだつづいているのである。

（ジェローム・K・ジェローム『ボートの三人男』九 - 一一）

ここで示されている「処方箋」は、普通ではありません。その証拠に、こうしてそれを説明しようとするときに、どうしても「処方箋」という具合に引用符を添えたくなってしまいます。ということはやはり、ここにもアイロニーがありそうです。そのアイロニーはどのようにして働いているのでしょうか。

第一に通常、処方箋には、どの薬をどれだけということが書かれているはずで、第二に、薬というのは「口に苦い」もの、うれしくないものという通念があります。つまり、処方箋という形式そのものにそれが《期待》スペースへの言及であることが刻まれている。ところが実際にそこに記されているのは、「好きなものを食べ、酒をたっぷり飲むべし」という内容なのですから、《期待》の薬と《現実》の道楽がコネクターで結ばれて、アイロニーが生じているのです。

上品な英国風アイロニー

イギリス文学史を習うとき、アイロニーの名手としておそらく最も頻繁に挙げられるのはジェイン・オースティンでしょう。その代表作『自負と偏見』の冒頭部も、上品な英国風アイロニーの好例としてしばしば引用されます。

> 独り者で、金があるといえば、あとはきっと細君をほしがっているにちがいない、というのが、世間一般のいわば公認真理といってもよい。
> はじめて近所へ引っ越してきたばかりで、かんじんの男の気持ちや考えは、まるっきりわからなくとも、この真理だけは、近所近辺どこの家でも、ちゃんときまった事実のようになっていて、いずれは当然、家《うち》のどの娘かのものになるものと、決めてかかっているのである。
>
> （ジェイン・オースティン『自負と偏見』五）

問題はまず、「独り者で、金があるといえば、あとはきっと細君をほしがっているにちがいない」という命題、あるいはそれが「世間一般のいわば公認真理といってもよい」という命題です。これが大まじめに述べられているとすれば、ずいぶんと単純で、男にとっても女にとっても窮屈な社会に思われます。

ですが、次の段落で、「かんじんの男の気持ちや考えは、まるっきりわからなくとも……いずれは当然、家《うち》のどの娘かのものになるものと、決めてかかっている」という文を目にする頃には、読者は先の一節が皮肉として語られていたことに気付くはずです。語り手が最初に「世間一般の公認真理」と言ったのは、実は、金持ちとの結婚しか頭にない上流階級への皮肉だと解釈できます。

ちなみに英語では、このような「本心とは裏腹」「からかい（冗談）半分」「皮肉」な口調を間接的に表す「頬の内側に舌の先を入れて（tongue-in-cheek）」という表現があって便利（というのも、既に論じたようにアイロニーはそれが皮肉だと言った途端に効果を失ってしまうものなので、文章にする際にはできるだけさりげなく、間接的にアイロニーだとほのめかしたい）なのですが、日本語にはなぜか、それに相当するような表現はありません。

劇的アイロニー

『自負と偏見』冒頭の語りで、上流階級の人々の頭にある「公認真理」が示されて、それがすぐに、端から見ると滑稽な思い込みにすぎないことが暴かれるのとちょうど同じように——そして、それよりはるかに大きな規模で——登場人物たちの勘違いと、その状況に関する事実との食い違いを暴くのが「劇的アイロニー」と呼ばれるものです。もう少し厳密には、次のように定義することができます。

それぞれの瞬間において、ある人物が知っていることを別の人物は知らないというふうに、登場する人物たちの状況認識が微妙に異なっているのだが、その結果として、台詞の効果は複数の次元において機能し、アイロニー豊かな台詞が語られることとなる。具体的に言うと、ある台詞が語り手の意識していない効果を含んでいたり、語り手は意識していても、聞き手には理解されない効果を含んでいたりするようになるのである。

（喜志哲雄『喜劇の手法　笑いのしくみを探る』一三九）

劇的アイロニーの好例としてしばしば引き合いに出されるのは、リチャード・シェリダン『悪口学校』の「衝立《ついたて》の場」と呼ばれる場面です。しかし、それは二重、三重のアイロニーが機能するような、かなり手が込んだ仕掛けになっているので、多様な喜劇の手法を丁寧に解説した喜志の著作に任せるとして、ここではもう少しシンプルな例として、再びシェイクスピアからの引用を見ましょう。

ヘースティングズ　二週間とたたぬうちに私は何人かを、本人たちには思いもよらぬことだろうが、あの世へ送ってやるぞ。
ケーツビー　夢にも思わず、覚悟もできぬまま死ぬことは、きっと恐ろしいことでしょうな、ヘースティングズ卿。
ヘースティングズ　ああ、無残きわまることだろう！　その運命がリヴァーズ、ヴォーン、グレーに訪れるように、もう何人かにも襲いかかるだろう、その連中はおまえや私同様安全だと思っている、リチャード公とバッキンガム卿のご信任厚いわれわれ同様にな。

ケーツビー　お二人はたしかにあなた様を高く買っておられます、
（傍白）その生首をロンドン橋に高くかかげるつもりだから。
（シェイクスピア『リチャード三世』一二〇）

「本人たちには思いもよらぬことだろうが、〔あいつらを〕あの世へ送ってやるぞ」と思っているヘースティングズが、実は、まさに本人には思いもよらぬことに、あの世に送られることになる、という皮肉な事態は、『リチャード三世』のことをほとんど知らなくても、このやり取りだけで充分に伝わります。ここでは登場人物の勘違いがケーツビーの傍白によって暴かれていますが、この種のアイロニーはまさにこんなふうに、劇で表現されるのに最適なので、しばしば「劇的アイロニー」と呼ばれます。

自身が作家でもあり、小説を論じる理論家でもあるデイヴィッド・ロッジは『小説の技巧』で、『自負と偏見』に典型的に見られるアイロニーを論じた流れで、次のようなことを書いています。

（こうしたアイロニーと）同じ規則が物語の展開にも当てはまる。ある状況に関する事実と、その状況についての登場人物の理解が食い違っていることに読者が気づくとき、「劇的アイロニー」と呼ばれる効果が生まれる。あらゆる小説は、本質的に無垢から経験への移行を描いたもの、あるいは見かけ上の世界の裏にひそむ現実の発見を描いたものだと言われている。とすれば、この文学形式の至るところに文体的、あるいは劇的アイロニーが見られるのは驚くに当たらない。

(デイヴィッド・ロッジ『小説の技巧』二四三)

急に大風呂敷を広げるような話になってしまいますが、確かにロッジが指摘するように、文学作品には随所にアイロニーが見られます。世界に対する認識を一新させるのが文学作品であることを考えれば、それは当然のことだと言えるでしょう。

状況のアイロニー

消防署が火事で燃え落ちた。

防弾ガラスで跳ねた銃弾が大統領に当たった。

（どちらの例も、http://examples.yourdictionary.com/examples-of-situational-irony.html）

消防署は、その仕事の性質上、火事を起こさないことが期待されます。ところが、現実にはそこが火事になった。こうして、私たちが見慣れた、期待と現実との対比があることによってアイロニーが生じます。もう一つの例も同じで、防弾ガラスは銃弾を防ぐ（要人を守る）ことが期待されるものであるにもかかわらず、それのせいで現実に要人がけがをした。

同様のアイロニーの例は、文学作品に多く見られます。

最もありきたりな例としては、「悲劇の主人公が亡くなったとき、空は明るく、きれいに澄み渡っていた」という結末なども同類でしょう。やや古風な小説では、作中で激動が起こると天気も激変し、悲しいことがあると雨が降り、事態が落ち着くと空模様も安定するような関係が見られることがあります。ですので、悲劇の主人公が亡くなるとき、お決まりに従えば天気がぐずつくことが期待される。その期待があっさり裏切られると、そこにアイロニーが生じます。

次のような例は、どちらかというと、消防署の火事に似たケースかもしれません。

妙なことに、セリーナを本気で俺と寝たい気にさせるただ一つの方法は、俺が彼女と寝たくない気になることだ。これは絶対に失敗がない。本当に彼女がその気になるんだ。困るのは、俺が彼女と寝たくないとき（そういうときだってある）、俺は彼女と寝たくないんだ。どういうときに、そうなるか？　どういうときに俺は彼女と寝たくないのか？　彼女が俺と寝たいときだ。そして彼女が絶対に俺と寝たくないってときに、俺は彼女と寝たいんだ。彼女はほとんどいつも俺と寝てくれる――俺がさんざんどなりつけるか、脅すか、たっぷり金をやるかすれば。

（マーティン・エイミス『マネー』一四二‐一四三）

ここにあるのは、かなり滑稽なアイロニーです。当然、「俺」が寝たいときに「彼女」が同じように寝たいと思い、「俺」が寝たくないときに「彼女」も寝たくないと思ってくれるのが理想的状況（すなわち、《期待》に存在する状況）でしょう。ところが、《現実》はその正反対で、二人の「その気」のリズムは反比例しています。理想のリズムと現実のリズムがただ単にずれているのではなく、きれいな対称になっているために、アイロニーになっているのです。

そして、このアイロニー的なギャップを埋め合わせる逆説的な努力の中（そして滑稽な、言葉の反復の中で）で、アイロニーが増大しています。ここでもやはり、アイロニーが反復と相性がよいことが分かります。

アイロニーの構図の逆転

続いて、状況のアイロニーに似た印象を与えるもう一つの例を見ます。

ハケット氏は角を曲がった、すると少し向こうに自分の腰掛けが、薄れていく光のなかに、見えた。だれかがすわっているようだった。この腰掛けはおそらく間違いなく市の所有物、または公衆の所有物であって、彼のものではなかった。しかし彼はそれを自分のものと考えていた。これが自分の気に入ったものに対するハケット氏のいつもの態度であった。自分のものでないことはわかっている、しかし自分のものと考える。なぜ自分のものでないとわかるかといえば、そのものが自分の気に入っているからであった。

（サミュエル・ベケット『ワット』五）

ハケット氏は自分が気に入ったものは勝手に自分のものだと考えるのですが、彼が気に入るものは他人のものです。ここには、不合理な理屈、あるいは奇妙な循環論法があります。読者は、『ワット』という小説の冒頭に置かれたこの一節を読み、ハケット氏の頭脳（ところの小説自体）の不条理を察知します。

一見すると、この小説が設定する不条理な《虚構》スペースは、私たちの慣れ親しんだ《現実》の合理性と対照をなしているように見えますから、そこにアイロニーが生まれ、私たちはハケット氏の思考を滑稽な循環として笑うことができます。

しかし、アイロニーの効果はそれだけでは終わりません。というのも、実はハケット氏は深遠なる真理を悟っているのかもしれないからです。私たちが普段何かが気に入って、それを手放そうとしないとき、なぜ固執するのかといえば、それが自分のものでなくなる可能性があるからです。つまり、失う可能性が0なら人はそれに固執しないはずです。「気に入る」というのは一種の執着ですから、人が気に入るものはそもそも、失う可能性があるものに限定されることになります（少なくとも、理屈の上では）。

こう考えると、『ワット』の読者は、最初に自分が笑った不条理な《虚構》世界には自分も含まれていたことに気づきます。しかも、この再解釈によってもアイロニーが消えることはありません。では、このとき、《虚構》と《現実》の関係はどうなっているのでしょうか。

小説を読む時系列の中で考えると、私たち読者と小説空間をともに含んだものとしてとらえ直したスペースこそが真の《現実》であって、私たちがいつも「現実」だと考えていた思い込みの空間が《虚構》という逆転が起こりえるということです。一般に、「不条理」を扱った小説の多くは、不条理な《虚構》空間と整合的な読者の《現実》とが対比されることで面白くなるのではなく、不条理な小説空間を《現実》として読むことによって、読者の「現実」の幻想性を《虚構》として浮き彫りにすることで面白さを生んでいるのです。

青い発言

「僕の性生活はだめなんだよ……僕は、あんまり好きでない女の子が相手だと——どうしてもセクシーな気持になれないんだよ——本当にセクシーな気持には、だぜ。つまり、うんと好きでなきゃだめなんだな、僕は。好きでないと、相手に対する欲情やなんかが、消えちまうみたいなんだ。おかげで僕の性生活はひどくみじめなものになっちまうんだな。鼻もちならんよ、僕の性生活は」

（サリンジャー『ライ麦畑でつかまえて』二二九）

『ライ麦畑でつかまえて』の主人公ホールデン・コールフィールドは大人の世界のインチキさに耐えられず、挫折した青年です。彼が口にする青臭い言葉は、深遠な思索の成果とはとても呼べませんが、ときに（少なくとも同年代の若者の目から見れば）まっとうに思えます。だからこそ、この小説が広く読まれ続けているのでしょう。

そのホールデンの言葉が真実をつかまえているように聞こえるのは、どのようにしてなのでしょうか。彼の言葉が真実をつかむ瞬間というのは、例えば本項冒頭のような場面です。このせりふの後、彼は友人から精神分析を受けるように助言をされます。

ホールデンが自分の「性生活」に関して率直に語るとき、読者は「青臭いな」と思いつつ、大人の考え方を支えているもののインチキさ加減も、同時に感じます。未熟なホールデンは、「とても好きな女性が相手でなければ本当にセクシーな気分になれない」ために、みじめな「性生活」を送っているとぼやき、何らかの解決を望んでいるようです。しかし、他方に置かれているのは、精神分析などの手段で性の問題を解決しようとする現代アメリカの欺瞞《ぎまん》的な「性生活」観です（少なくとも二十世紀のアメリカでは、特に大きな問題を抱えていなくても、何かの心理カウンセリングに通うのが上流階級の常識となっていました）。つまり、ホールデンの抱く理想と現代アメリカの理想とが一致するのではなく、ホールデンの理想とアメリカで《期待》されている理想とのずれからアイロニーが生じているのです。ホールデンが保持している純粋さは、現代のアメリカにあるインチキさを告発する視点となっています。

ホールデン・コールフィールドの発言においては、青臭い若者の言葉が——発話者はそれに気づくことなく、しかし作家はきっと意識して——真実を語っています。しかし、前項で見た『ワット』の場合は、小説の語り手、あるいは作者にアイロニーの自覚があるのかどうか定かではありません。つまり、アイロニーをどこにどう読み込むかは、最終的には読者に任されているわけです。その結果、『ワット』のような不条理小説は、アイロニーであらゆる規範をゆるがしつつ、確固たる《現実》の基盤を与えないことで、読者を不安にさせるのです。

アイロニーの上書き

一九六〇年代、七〇年代のアメリカ小説には、強烈な社会風刺（「メニッポス的風刺」とも呼ばれます）をもくろんだ作品が多くあります。ウィリアム・ギャディス、カート・ヴォネガット、トマス・ピンチョンなどが書いた小説では、登場人物が痛快な毒を吐くこともあれば、語り手が毒づくこともあります。そうした際にも、アイロニーという修辞が頻用されて、既存の価値観に強烈なノーを叩きつけています。あまりにもそのテンションが上がりすぎて、アイロニー的な発言に対してアイロニー的な応答をする場合など、読者は一瞬、発話者の意図がよく分からなくなることもまれではありません。

「私は一日中熱いコンロの前で苦労してるのに、あなたは涼しいオフィスに一日いられていいわよね」と、サラリーマンである夫を主婦がなじる場面を想像してみてください。その発言自体はアイロニーではなく、文字通りのことを意味しています。どことなくアイロニー的な要素がそこに感じられるとすれば、それは主婦の《現実》が（男たちに）《期待》される安楽さと無縁であること、むしろ安楽さは男たちの日常にあることを告発する対比が、アイロニーとよく似た図式になっているからです。

次の引用では、ジャックがそんな主婦の非難を逆手に取った発言をします。

（専業主婦をしている女性マリアンが「夫を尊敬できなくなった」と、夫の友人である男ジャックに打ち明ける場面）

「ジャック、私は自尊心を失った人は尊敬できないの、彼が今の仕事をどう思っているか、知ってる？　いつもその話ばかり。玄関から入ってくるなり、いつも……」

「笑顔で仕事場から帰ってくる旦那がこの世に何人いると思ってるんだ、なあ、マリアン、よくある話さ、来る日も来る日も同じくだらないことの繰り返し、生活していくためには辛抱しなくちゃならない、それなのに家に帰ったら帰ったで、私は一日中熱いコンロの前で苦労してるのに、あなたは涼しい下水道に一日いられていいわよねって言われる、あいつは芝居を仕上げようと頑張りながら、同時に君たちのために、人並みに稼ごうと努力してるんじゃないか……」

（ウィリアム・ギャディス『JR』三四二）

「私は一日中熱いコンロの前で苦労してるのに、あなたは涼しいオフィスに一日いられていいわよね」というありがちなぼやきの一部が巧妙にすり替えられて、「オフィス」が「下水道」に置き換わっています。もちろん、主婦が「私は一日中熱いコンロの前で苦労してるのに、あなたは涼しい下水道に一日いられていいわよね」と、この男が使っている通りの言葉を用いて嫌みを言うことはありえません。

つまりここでは、アイロニー・コネクターが、主婦の《期待》スペースにある「涼しいオフィス」と、夫の《現実》スペースにある「下水道〔すなわち、居心地などまったくよくない、劣悪な労働環境〕」とを結び、よくある皮肉をさらに皮肉で上書きして相手に返しているのです。

アイロニーのゆらぎ

兵士たちは、官邸、すなわち総督官邸の中に、イエスを引いて行き、部隊の全員を呼び集めた。そして、イエスに紫の服を着せ、茨の冠を編んでかぶらせ、「ユダヤ人の王、万歳」と言って敬礼し始めた。〔中略〕

イエスを十字架につけたのは、午前九時であった。罪状書きには、「ユダヤ人の王」と書いてあった。

（マルコによる福音書　一五の一六 - 二二）

イエスは、自ら十字架を背負い、いわゆる「されこうべの場所」、すなわちヘブライ語でゴルゴタという所へ向かわれた。そこで、彼らはイエスを十字架につけた。〈中略〉ピラトは罪状書きを書いて、十字架の上に掛けた。それには、「ナザレのイエス、ユダヤ人の王」と書いてあった。〈中略〉ユダヤ人の祭司長たちがピラトに、「『ユダヤ人の王』と書かず、『この男は「ユダヤ人の王」と自称した』と書いてください」と言った。しかし、ピラトは、「わたしが書いたものは、書いたままにしておけ」と答えた。

（ヨハネによる福音書　一九の一七 - 二二）

イエス・キリストの処刑の際、十字架の上には「ユダヤ人の王」という罪状書きが付けられていました。マルコによる福音書の記述を読めば、この肩書きに込められたアイロニーは明らかです。兵士たち、そしてイエスを侮辱した群衆は、『ユダヤ人の王』たる者がこのありさまだ」とあざ笑っているのです。

しかし、新約聖書に福音を記した人びとがこれらの群衆と同じ視点を共有していたとは考えられません。そのことがより鮮明に表れているのが、ヨハネによる福音書です。ヨハネによれば、罪状に「ユダヤ人の王」と書いた総督ピラトは、「この男は『ユダヤ人の王』と自称した」という書き方に改めるように助言されても、書き換えることをしませんでした。その結果、あいまいに読める罪状書きが掲げられることになりました。すなわち、イエスを信じない人々にとってはアイロニー的なこの罪状書きは、イエスを信じるものから見れば、イエスの真の肩書きなのです。

より正確に言うなら、この罪状書きをめぐるアイロニーは、信者の目には、まったく異なる意味合いのアイロニーとして受け止められるということです。「『ユダヤ人の王』たるものがこのありさまだ」と嘲笑《ちようしよう》する群衆とは対照的に、信者は「『ユダヤ人の王』たるお方がこのひどい姿だ」と悲嘆します。群衆は、「ユダヤ人の王」という称号を虚構的なスペースに位置づけ、現実におけるみじめな姿との間にアイロニーを見ます。信者は、「ユダヤ人の王」という称号を《真の現実》のスペースに位置づけ、みじめな扱いを受けている状態を《仮の現実》のスペースに置き、両者の間にアイロニーを見ます。

アイロニーは、ここまでに見たように、二つのスペース(価値観、認識)の間にあるギャップから生じます。ですが、どちらのスペースに軸足を置くのかによって、正反対の意味を持つのです。

　再び、順を追って、見直してみましょう。最初に、イエスは「ユダヤ人の王」として現れ、次に、兵士や群衆が「『ユダヤ人の王』たるものがこのありさまだ」、つまり、「『ユダヤ人の王』は『ユダヤ人の王』ではない」とあざけり、その次に、福音史家たちは「『「ユダヤ人の王」は「ユダヤ人の王」ではない』というのは間違いだ」と書き記したわけです。さらに、ある種の小説家であれば、新約聖書を下敷きにして、「『「『ユダヤ人の王』は『ユダヤ人の王』ではない」というのは間違いだ』というのは間違いだ」という小説を書くこともできるでしょう。つまり、アイロニーは、既にある現状認識に対して距離をとり、それを書き換える視線（姿勢）そのものだと言えます。

　ここで、注意しなければならないのは、アイロニー的な書き換えとそれに伴う認識の変化は、必ずしも究極の真実へと向かうわけではなく、認識の精度や適切性を上げるわけでもないという事実です。むしろ、アイロニーという破壊的なプロセスを繰り返し経て、「深い話へ深い話へと疑いを重ねていくと、結局のところ、何を信じて話をしたらいいのかわからなくなっていく」のです（千葉　八六）。

　これは、ダーウィン＝メンデル的な自然淘汰による進化の過程には生物の完成度を高めるという目的が存在していないのと似ています。変異種と在来種との競合から新しい生態系が生じたとしても、それは偶然性の所産に過ぎません。振り返ってみた場合、そこに驚くような適応が存在することもあるでしょうが、それは、目的に従って進化した結果ではなく、偶然生じた変異の中で目的に合ったものが生き残ったという事実を、事後的に眺めていることからくる錯覚です。

ポリフォニー

次に引用するのは、近未来を舞台とした短編で、「カリー」と呼ばれる美醜失認処置（処置を受けると人の容貌が美しいか醜いかを判断できなくなる）を大学で一斉に導入すべきかどうかについて、大学の新入生、神経学者、既にカリー処置を受けている学生、大学の教員、化粧品業界の利益を代弁する反カリー団体などが、さまざまな角度から意見を述べています。

【マリア・ディスーザ、三年生、ＳＥＥ（〈徹底的平等を求める学生会議〉）議長】

その根深い社会問題とは、ルッキズム、すなわち容貌差別です。ここ数十年で、人種差別や性差別に関する議論は活発になりましたが、容貌差別についてはまだ遠慮がある

ようです。けれども、恵まれない顔立ちの人びとに対する偏見は、信じられないほど広まっています。〔中略〕

教育によってこの問題への認識を高めることはとても重要ですが、それだけでは充分ではありません。テクノロジーが一役買うのはそこです。美醜失認処置《カリーアグノシア》とは、一種の補助された成熟であると考えてください。この処置は、あなたがそうすべきだと頭で理解していることを実行させてくれます。つまり、より深くを眺めるために、表面を無視することを。〔中略〕

【ジェフ・ウィンスロップ、三年生、学生討論会での発言】

もちろん、人を外見で判断するのはよくないが、こういう〝目隠し〟は正しい解答じゃない。正しい解答は教育だよ。

〝カリー〟は、悪と一緒に、善をも取り除く。せっかく識別能力があるのにそれを使わず、美の認識を丸ごと奪ってしまう。魅力的な顔を眺めることが誰の害にもならないことはいくらもあるじゃないか。そういう区別を〝カリー〟は許さないが、教育ならそうできる。〔中略〕

【全米大学ネットワーク、〈教育ニュース〉の放送より】

ペンブルトン大学の美醜失認運動に関する最新情報――教育ニュースが入手した証拠によると、ワイアット／ヘイズ広告代理店はペンブルトン大学の学生四人を雇い、同社から依頼されたことを隠して、その運動への賛成票を投じないようにクラスメイトを説得させたということです。

【ジェフ・ウィンスロップ】

うん、その通り。ワイアット／ヘイズは報酬をよこしたけど、別にあれは宣伝キャンペーンじゃない。向こうがこう言え、ああ言えと指示したわけじゃない〈中略〉。つまり、僕がやったのは、自分の正直な意見を述べることだ――〝カリー〟はまずい考えだと思う。

（テッド・チャン「顔の美醜について――ドキュメンタリー」）

この作品を読むとき、読者は最初、どの価値観を採用すべきか迷うことでしょう。私たちの現在のありようを基盤として、カリーを誇張されたパロディーか滑稽な冗談としてとらえる人もあるでしょうし、あらゆる差別をなくそうとする努力の行き着く必然のゴールとしてそこに理想の目標を見る読者もいるでしょう。ですが、いずれにせよ、多くの場合は、多様な意見を読み進む間にその価値観が多少なりとも揺さぶられることになるでしょう。

引用した部分だけでもかなり価値観が揺れるはずです。まずカリー推進派の意見、次にそれに反対する意見、次に、実はその背後にあった広告業界の動きが明らかになり、さらにそれに次いで、報酬を受け取ったのは事実だが買収によって意見を変えたわけではないという告白。

ちなみに作品の結末も、いずれかの価値観を肯定するものとはなりません。美醜失認議案は投票の結果、否決されるのですが、最後に紹介される学生――カリーを受けて育ち、しばらく前にカリーを解除していた学生――は再びカリー処置を受ける決断をしています。

著者のテッド・チャンは「作品覚え書き」で「もし美醜失認処置が選択できるようになれば、少なくとも僕は試してみるつもりだ」と記しています。しかし、この発言から、「この短編のメッセージはカリーの肯定である」とするのは間違いです。

私たちは日常的に、ある言葉や文章の背後にある意図を探るのが当然のようになっていますが、小説はその種の単一の意図を持った文章ではありません。そのことを最初に明らかにしたのはミハイル・バフチンという文芸理論家です。小説というものは、多様な出来事を経て最後に一つのメッセージや価値観を肯定・否定するというものではなく、「それぞれに独立して互いに融け合うことのないあまたの声と意識、それぞれがれっきとした価値を持つ声たちによる真のポリフォニー」なのです。彼はドストエフスキーの小説を典型として、「彼の作品の中で起こっていることは、複数の個性や運命が単一の作者の意識の光に照らされた単一の客観的な世界の中で展開されてゆくといったことではない。そうではなくて、ここではまさに、それぞれの世界を持った複数の対等な意識が、各自の独立性を保ったまま、何らかの事件というまとまりの中に織り込まれてゆくのである」と述べています。

この見方に従えば、小説とは、作者が持っている特定の主張をにぎやかに飾り付けたようなものではなく、むしろ、作者はまず大きな波紋を立てるための仕掛けを考案した上で、それに付随して聞こえるいくつもの声を丁寧に拾い上げていく役割を担っていると言えるかもしれません。

3・6　パロディー、パスティーシュ

スペクトル派

スペクトル派とは、一九一六年に一冊の詩集とともに登場した二人の詩人から成る流派で、光や、物を取り囲むスペクトル的なオーラをイメージさせる技法を用いる点に特徴があると自ら宣言していました。次の引用が作品の一つです。

もしも入浴が欲望ではなく、ただの美徳であったなら、
　僕はもっとも不潔な人間になるだろう

家の掃除を神聖な儀式と見なす人もあるが、
太陽光線の中で踊る金色の埃《ほこり》がない家など
僕にとっては無だ

税額査定人は価値の高いものをしばしば見落とす
今日の査定人は私の翡翠《ひすい》を目ざとく見つけたが
僕の中の君の思い出は見つからなかった

（アン・クニッシュ「作品一一八」）

いきなりですが、種明かしをしてしまうと、これは二人の詩人が冗談として企画した詩集でした。いわばパロディーです。ところが、それが意外に高く評価され、当の詩人たちもこの実験的な試みはとても勉強になったと後に明かしています。

スペクトル派は英文学史上、かなり成功したいたずら、冗談として評価されていますが、それはいわば、スウィフトの「ささやかな提案」がまじめに受け止められたようなものですから、まさに文学作品の意図がいかに読者にとって不透明であるかの好例となっています。

文芸批評においては、風刺的に特定のスタイルをもじるのを「パロディー」、それよりもっと価値中立的・表面的な文体模写を「パスティーシュ」として区別することがありますが、作品の意図が不透明であることを考えれば、その二つは必ずしも截然《せつぜん》と分けられるものではなさそうです。

アーン・マリー
次の詩はいかがでしょうか。

「夜の詩」

振った灯りが種を蒔く
繖形花《さんけいか》をつける暗闇の中で
蛙《かえる》は喉音で批評する
一糸まとわず不法侵入してきた

湖の精について
記号ははっきり刻まれていた
公園の門の上では
鉄でできた鳥たちが
しゃくにさわるさびたくちばしで不満を訴えていたが

睡蓮《すいれん》の中で
ちゃぽん？　暗闇に白い泡！
そのとき君は泣きながら
震える僕の直感的な腕に横たわる

（アーン・マリー「夜の詩」）

一九四四年、オーストラリアの前衛的文芸誌『アングリー・ペンギンズ』で、アーン・マリーという、それまでまったく無名だった詩人が特集されました。彼は、一年前の一九四三年に亡くなっていたのですが、姉のエセルが、彼の遺品を整理している際に偶然見つけた原稿を編集者に送ったものが、高く評価されたのでした。

ところが実は、アーン・マリーとは、モダニストの詩を攻撃するために作り上げられた架空の詩人でした。このいたずらを仕掛けたのは、ジェイムズ・マコーリーとハロルド・スチュアートという二人の保守的な詩人でした。二人は、流行の現代詩を紹介したり、愛読したりする人びとを、アイロニー的戦略によってからかおうとしたのです。前項のスペクトル派は冗談にすぎませんでしたが、こちらにはもっと攻撃的な意図がありました。

マコーリーとスチュアートは、三つのルールに基づいて、現代詩をもじった作品を作り上げました。

1. 混乱し矛盾した思わせぶりな表現で読者をおびき寄せるのみで、作品には一貫したテーマを持たせない。
2. 詩の技法はまったく考慮に入れない。ところどころで故意にまとまりのない印象を強調する。
3. ディラン・トマスなどのはやりの詩人の作品の文体を模倣する。

「モダニズムの詩なんて、もったいぶった書き方をしただけのナンセンスだ」と考える二人の詩人は、このようなルールに基づいて、いろいろな本や引用句辞典から取ってきた言葉を適当に組み合わせて十六篇の詩を書き、作品が文芸誌で取り上げられた後で、「あれは悪ふざけだった」と告白しました。

これもアミガサダケやハルク・ホーガンの例と同様で、「あなた方の高い評価は《期待》でしか成り立ちませんよ」、あるいは「あなた方の評価はこんな《期待》を前提にしていますが、それでいいのですか?」と切り返すアイロニー戦略のバリエーションです。

この種のいたずら(と呼ぶべきかどうかは難しいところですが)は、芸術に限らず、学術の世界でも時折誰かが実行し、大きな波乱を引き起こします。比較的新しいところでは、ソーカル事件というものがありました。ニューヨーク大学の物理学教授、アラン・ソーカルが現代フランス思想にかぶれた人文系の研究者・批評家を批判するために、それっぽい術語と科学・数学の語彙をうまく混ぜ合わせてインチキな論文を書いて有名な人文科学誌『ソーシャル・テキスト』に送り、それが査読を経て、掲載されました。ソーカルはその後すぐに、それが何の意味もない疑似論文だったことを公表し、人文系の現代思想に手痛い打撃を与えたのでした。

視覚芸術のアイロニー

視覚芸術の世界にも、同様の事件がありました。

右上隅に見える鳥は宇宙的雄鶏と呼ばれ、抑圧された欲望の象徴だ。雄鶏が止まっている十字架も、もちろん別の象徴だ。洗濯紐の端には、不死を意味する白い葉の付いたコスモスの花がある。この絵画の全体が動的な対称性の法則を驚くべきやり方で示している。すべてのものが、鑑賞者の目を中心的象徴に向けさせ、その結果として、最初、私たちはここに描かれた洗濯女と同じ立場に置かれることになる。女は、宇宙的雄鶏を見つめながら（ゆえにこの絵画の題名は「切望」だ）、彼女の財布に手を伸ばす貪欲の手に気づいていないのだ。

（画家パーヴェル・ジョルダノヴィッチ自身による「切望」の解説）

ロサンゼルスで活動する作家ポール・ジョーダン＝スミスは、妻の写実的な静物画が展覧会の審査員に評価されなかったことをきっかけに、現代美術の批評家たちをからかうことを企てます。彼は、対象の影を描かない「無影派」なる架空の流派をでっち上げ、その架空の創立者であるロシア人、パーヴェル・ジョルダノヴィッチ（自身の名をロシア語風に変換したもの）の作品として、自作を展覧会に出品し、美術界の賞賛を集め、『シカゴ・イブニング・ポスト』紙などにも取り上げられました。

ジョーダン＝スミスがやったことは、キュビスムなどの抽象美術がやたらに持ち上げられ、また、異国風の名前を持った画家が批評家に受けがいいことを逆手に取った、アイロニー的な行為だと言えます。

先ほどから挙げている例はどれも、見方次第では、相手の裏をかこうとする少し意地の悪いやり口ばかりにも見えますので、次はもっとスカッとするアイロニーを取り上げてみましょう。

ゼウクシスとパラシオス

視覚芸術におけるアイロニー的な行為を挙げたついでに、もう一つ、同じように絵画に関連した別の例を見ます。それはかつて、ゼウクシスとパラシオスという二人の名画家がいて、どちらがよりリアルな絵を描けるか腕を競ったという逸話です。絵の現物は残っておらず、それに関するお話のみが伝えられています。

記録によると、この最後の人（パラシオス）はゼウクシスと技を競った。ゼウクシスはブドウの絵を描いて、それをたいへん巧みに実現したので、鳥どもが舞台の建物のところまで飛んできた。一方パラシオス自身は、たいへん写実的にカーテンを描いたので、鳥どもの評決でいい気になっていたゼウクシスは、さあカーテンを引いて絵を見せよと要求した。そして自分の誤りに気が付いたとき、その謙虚さが称揚されたのだが、「自分は鳥どもをだましたが、パラシオスは画家である自分をだました」と言いながら、賞を譲った、という。

（『プリニウスの博物誌』Ⅲ、一四二一）

ゼウクシスは見事なブドウの絵を描いて鳥の目をだましますが、パラシオスはさらにその上をいき、見事なカーテンを描いて、ライバルであるゼウクシスの目をだますのです。二人が互いに自分が描いた絵を提示する時点で、実際には、ゼウクシスの横にあるのは本物そっくりなブドウの絵、パラシオスの横にあるのは本物そっくりなカーテンの絵です。ところが

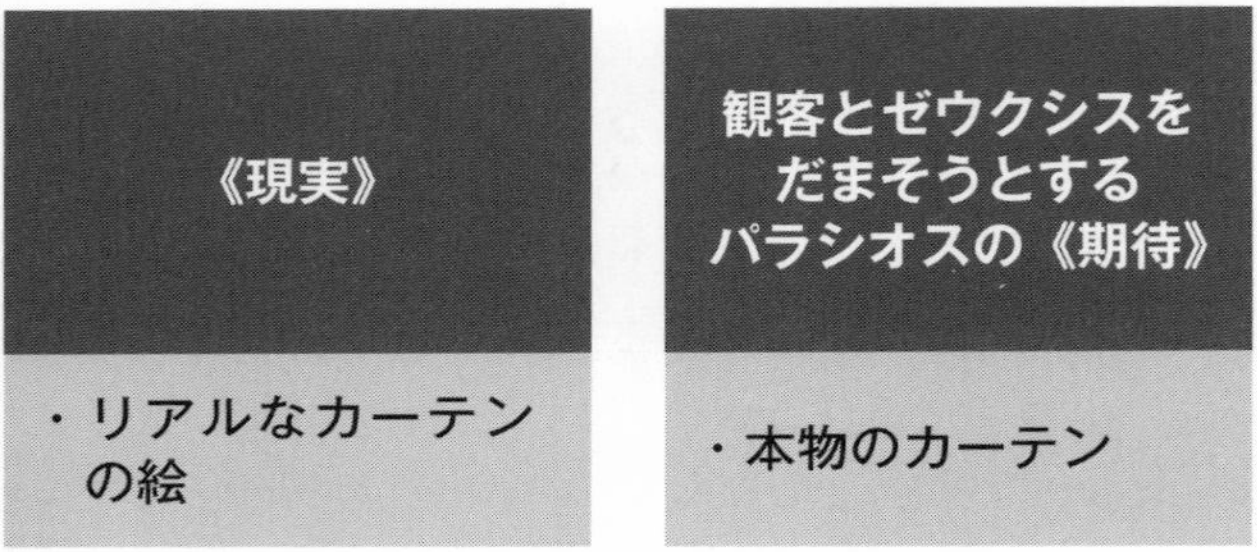

図23　リアルなカーテンと本物のカーテン

決定的な場面で、ゼウクシスのまなざしの中にあるのは、鳥もだますほどリアルなブドウの絵と、その奥にリアルな絵を隠しているであろう本物のカーテンなのです。（図23）

絵がどれだけリアルかを競う際に、それが素人の目をだますか、専門家の目をだますか、果ては動物の目までだますか、というレベルで争うというのは一つの考え方です。しかし、もしも絵が本当の意味でリアルなら、それは「とてもそれっぽく見える」のではなく、「それに見える」はずですから、「それに見える」ものを描いたパラシオスが勝利したのは当然でしょう。

これはまさに、凝り固まった前提を一次元上の仕掛けによって突き崩す、視覚芸術的なアイロニーだと言えるのではないでしょうか。

3・7　虚構スペースで遊ぶということ

ぶつかり合うスペース

文学的な作品の中では、常にいくつものスペースがぶつかり合っています。その一つが、《期待》と《現実》というスペースの衝突であり、そこにアイロニーという修辞が生まれることは、ここまで見てきたとおりです。もちろん小説自体が、未来のテクノロジーが存在するスペースそのものを舞台にしていることもありますし、頭脳明晰な一人の人物の周囲にたびたび殺人者が現れるような《虚構》スペースを描くものもあります。

しかし小説の中では、そういう舞台設定・空間設定の問題ばかりでなく、メタファーやシミリ、象徴や暗示などの修辞技法を用いて局所的にさまざまなスペースが提示され、他とぶつかったり、融合したり、対比を見せたりして、それが小説を読む楽しみとなります。
例えば、つい先ほどまで存在さえまったく知らなかった女性から、「あたしはもう少しであんたの母親になるところだったんだよ」と面と向かって言われたら、それはどんな意味に聞こえ、あなたはどんな気持ちになるでしょうか。次の引用は、まさにそんな不思議なやり取りです。

「そうなのさ、あたしはもう少しであんたの母親になるところだったんだよ。母さん〈注　ドロレス〉はそのことをなんにも言ってなかったのかい？〈中略〉
それで、そのオソリオっていう男〈注　占い師〉だけど、あんたの母さんが会いに行くと、月が荒れてるから今晩は男に指一本触れてはいかん、って言ったのさ。〈中略〉
ドロレスは急いであたしのところにやってきた。そして、今晩は駄目なの、っていうのさ。今夜はペドロ・パラモとどうしても寝るわけにいかないってね。結婚当夜なのに。〈中略〉
『わたしの代わりに行って』じっとあたしを見てそういうのさ。
それでとうとうあたしが行ったんだよ。

暗いんで都合がよかったし、あの人にゃわからない理由もあったんだ。あのね、あたしもペドロ・パラモが好きだったのさ。

喜んで、胸をわくわくさせながら一緒にベッドに入ったのよ。体にしがみついたんだ。けどあの人ったら、前の日のどんちゃん騒ぎでくたくたになっちまってて、ひと晩じゅうグーグーいびきをかいてるのさ。けっきょくあたしの脚に自分の脚をからませただけでおしまいさ。

そのつぎの年にあんたが生まれた。あたしからじゃないけど、もう少しでそうなるところだったんだ。

（フアン・ルルフォ『ペドロ・パラモ』二七‐三二）

いかがでしたか。「もう少しであんたの母親になるところだった」という言葉の意味は、あなたが考えたものと同じだったでしょうか。こんなふうに、多様な形でスペースの融合を味わわせてくれるのが、言語芸術の作品たる小説なのです。

フィクションとごっこ遊び

最後に、アメリカの哲学者・美学者、ケンダル・ウォルトンの虚構《フィクション》論をごく簡単に紹介して、アイロニー論に関する大風呂敷を広げると同時に、本書を閉じることにしましょう。

ウォルトンはまず、「物語を語ることを、断定その他の発語内行為を遂行するふりをする行為として解釈する理論家たち」（八一）に異を唱えます。ごく常識的に考えても、ある作家が「〔登場人物〕○○は××をした」と断定するふりをしている、という言い方にはほとんど意味がありません。『ハックルベリー・フィンの冒けん』でハックはジムと旅に出ますが、マーク・トウェインは「ハックがジムと旅に出た」と言っている、という場合と、トウェインは「ハックがジムと旅に出た」と言っているふりをしている、という場合と、読者にとっては実質的に何も違わない、あるいはまったく区別がつかないからです。

ウォルトンはそれに加え、絵画や彫刻という虚構《フィクション》作品を挙げて、そもそもそれらがふりどころか、何かを断定しているとさえ言えないと論じます。

ウォルトンは結論として、虚構《フィクション》を一種のごっこ遊びだと規定します。

表象的な芸術作品にかかわる人々の活動のうちで、作品の肝心かなめのところを作り上げている活動は、子供たちのごっこ遊びとつながっていると考えるのが最もよい。私は芸術作品をめぐる活動を、本気でごっこ遊びと見なすことを提唱する。

（ウォルトン『フィクションとは何か』一〇）

ごっこ遊びという魔法は、表象的芸術作品の力や、その複雑さと多様さ、それによって人生を豊かにする可能性を解明する上で、桁外れに有望な説明基盤なのである。〔中略〕ある命題が虚構として成り立つという事実は、虚構的真理である。虚構世界は、虚構的真理の集合と結び付けられている。

（同七〇）

私たちは本書の中で、少しこれに似た議論を目撃しました。偽装理論は、「アイロニーはふりである」と規定していましたが、それでは説明しきれない側面や例がいくつもあったので新たな考え方が必要とされて、《期待》と《現実》というメンタル・スペースを使った説明に至ったのでした。

もしもジェイン・オースティンに関連してデイヴィッド・ロッジが言っていたように、小説とアイロニーとの間に重要な共通性・親和性があるとするなら、そしてまた、どちらも一見、ふりに見えるという不思議な符合に乗じて言うなら、結局、アイロニーとは極小《ミニマル》の虚構であり、語り手と聞き手との間で交わされる一種のごっこ遊びなのかもしれません。きっと人間は生来、ごっこ遊びが好きなのです。

日常でちょっとしたアイロニーを言ったり、聞いたりすることと、千ページを超えるような長大な小説を読むこととは、量的に隔たっているほどには、質的に隔たっていません。どちらも言葉を用いながら、手を変え品を変えして、次々に新たな虚構的世界を作り上げ、そこに見たこともない真理を探ろうとする試みなのではないでしょうか。

あとがき

本書で取り上げた例文は、前半で言葉のアイロニーを主に言語学的に扱った部分においても、筆者が創作したものは最小限に抑え、アイロニーを論じた各種の研究書・論文からの引用を主としました。というのも、論者によって、「当てこすり（sarcasm）はアイロニーとは違う」とか、「アイロニーの典型は〇〇だ」とか、やはりその定義や範囲にばらつきが見られるので、少しでもアイロニーの全体像に近いものを概観するためには、できるだけ多くの研究から例を取るのが一つの有効な方略になると考えたからです。

それに加え、後半では小説や映画からの引用を多く取り上げました。出典は、ＳＦ小説、アメリカ文学の古典、ハリウッド映画など、いろいろです。

本書は、読者にアイロニー発話を勧めるものではありません。皮肉は日常の中では、しばしば嫌われ者ですし、ネット内で「……（笑）」「……草」「……www」みたいなアイロニー符号が添えられている文章には不快な内容が書かれていることが多いのは確かです。

しかし、例えば刃物が料理にも使えれば、暴力にも使えるのと同じく、アイロニーも要は使いようで、それ自体は単なる修辞にすぎません。本文の中では、アイロニーで演説の効果を高める例や、アイロニーを用いた切り返しで効果的に反論する例なども取り上げました。そして、現代思想でアイロニー的な懐疑の姿勢に焦点が当てられていることについても触れました。

たった今、私が「単なる修辞」と書いたのは、誤解を招く言い方でした。そもそも、アイロニーを含む修辞《レトリック》とは、単に言葉を飾るものではありません。佐藤信夫は『レトリック感覚』の序章で次のように述べています。

私たちはいつのまにか、言語を、じゅうぶんに便利な、コミュニケーションの道具だと信じはじめていた。〔中略〕その結果、言語は、技術的苦労なしに、すなおに正直に忠実にものごとを記述しうる道具である、という恐るべきうそを私たちは信じ込んだのである。〔中略〕本当は、人を言い負かすためだけでなく、ことばを飾るためでもなく、私たちの認識をできるだけありのままに表現するためにこそレトリックの技術が必要だったのに。

（佐藤信夫『レトリック感覚』二一五 - 二一六）

私が本書で論じたのはアイロニーという、あまたあるレトリックの中でもたった一種類のものであり、しかもそれを包括的にとらえようとする一つの考え方に基づいて、いくつかの例に応用したにすぎません。私たちが普段、無自覚に「コミュニケーションの道具」だと思いがちな言語には、人間の認識の機微に関わる側面があり、それは一般の辞書や文法書に記述されそうもないレトリックの領域に存在しています。

本書をきっかけとして、読者の目がそのような領域に向くことになれば、著者としてこれほどの幸せはありません。

本書の出版にあたっては、企画と編集の段階で、光文社新書編集部の三宅貴久さんに大変お世話になりました。ありがとうございました。そしてまた、非常識なまでの長期間、原稿をお待たせしたことを、改めてここでもう一度お詫び申し上げます。誠に申し訳ありませんでした。

そして著者の日常を支えてくれるFさん、Iさん、S君にも感謝しています。どうもありがとう。

著者識

引用文献

以下に日本語訳を挙げていないものについては引用者が訳した。小説・研究書等で既に日本語訳が出版されている場合についても、論旨を明らかにしたり、議論と無関係な部分での混乱を避けたりするために、原文から大きく逸脱しない範囲で表現・表記を変えた部分がある。


【アイロニーの実例などの引用】

オースティン、ジェイン（一九九七）『自負と偏見』中野好夫訳、新潮文庫。

大橋洋一（一九九五）『新文学入門』岩波書店。

オールディス、ブライアン・W（一九七七）『地球の長い午後』伊藤典夫訳、ハヤカワ文庫。

ギャディス、ウィリアム（二〇一八）『JR』木原善彦訳、国書刊行会。

サリンジャー、J・D（一九八四）『ライ麦畑でつかまえて』野崎孝訳、白水Uブックス。

シェイクスピア、ウィリアム（一九八三）『ヴェニスの商人』小田島雄志訳、白水Uブックス。

シェイクスピア、ウィリアム（一九八三）『ジュリアス・シーザー』小田島雄志訳、白水Uブックス。

シェイクスピア、ウィリアム（一九八三）『リチャード三世』小田島雄志訳、白水Uブックス。

ジェローム、ジェローム・K（一九七六）『ボートの三人男』丸谷才一訳、中公文庫。

ジジェク、スラヴォイ（一九九九）『幻想の感染』松浦俊輔訳、青土社。

新共同訳聖書（一九九五）日本聖書協会。

ストーン、クリストファー（一九九〇）「樹木の当事者適格　自然物の法的権利について」岡嵜修、山田敏雄訳、『現代思想』第一八巻一一号、五八 - 九八頁。

千葉雅也（二〇一七）『勉強の哲学　来たるべきバカのために』文藝春秋。

チャン、テッド（二〇〇三）顔の美醜について——ドキュメンタリー『あなたの人生の物語』浅倉久志編訳、ハヤカワ文庫。

トウェイン、マーク（二〇一七）『ハックルベリー・フィンの冒けん』柴田元幸訳、研究社。

トールキン、J・R・R（一九七九）『ホビットの冒険』（上・下）瀬田貞二訳、岩波少年文庫。

ピンチョン、トマス（二〇一〇）『逆光』（上・下）木原善彦訳、新潮社。

プラトン（一九九三）『法律』（上・下）森進一、池田美恵、加来彰俊訳、岩波文庫。

プリニウス（一九八六）『プリニウスの博物誌』Ⅲ　中野定雄他訳、雄山閣。

ベケット、サミュエル（二〇〇一）『ワット』高橋康也訳、白水社。

ヘミングウェイ、アーネスト（一九五五）『日はまた昇る』大久保康雄訳、新潮文庫。

モーム、ウィリアム・サマセット（二〇一一）『お菓子とビール』行方昭夫訳、岩波文庫。

モーム、ウィリアム・サマセット（一九三三）『シェピー』『サマセット・モーム全集』第二二巻所収、木下順二、瀬口城一郎訳、新潮社。

ルルフォ、フアン（一九九二）『ペドロ・パラモ』杉山晃他訳、岩波文庫。

Amis, Martin (1986). *Money: a Suicide Note.* New York: Penguin.

Brennan, Jason (2016). *Against Democracy.* Princeton : Princeton UP.

Carroll, Lewis (1893). *Sylvie and Bruno Concluded.*

Knish, Anne (1916). *Spectra.* http://ecclesiastes911.net/spectra/spectra.html

Malley, Ern (1944). "Night Piece." http://jacketmagazine.com

Markson, David (1988). *Wittgenstein's Mistress.* Champaign, Illinois: Dalkey Archive Press.

Mitchell-Kernan, Claudia (1972). "Signifying, Loud-Talking and Marking." Reprinted in Gena Dagel Caponi ed., *Signifyin(g), Sanctifying', & Slam Dunking.* U of Massachusetts P, 1999, 309-330.

Swift, Jonathan (1729). "A Modest Proposal for Preventing the Children of Poor People in Ireland from Being A burden to Their Parents or Country, and for Making Them Beneficial to the Public." http://www.gutenberg.org/dirs/etext97/mdprp10.txt

【その他の参考文献　日本語のもの】（あいうえお順）

ウォルトン、ケンダル（二〇一六）『フィクションとは何か　ごっこ遊びと芸術』田村均訳、名古屋大学出版会。

大澤真幸（一九九四）『意味と他者性』勁草書房。

大澤真幸（一九九六）『虚構の時代の果て　オウムと世界最終戦争』ちくま新書。

河上誓作（二〇〇四）「認識の投影としての言語　外観と実体の言語学」『英語青年』一五〇（六）、三五三-三五七。

喜志哲雄（二〇〇六）『喜劇の手法　笑いのしくみを探る』集英社新書。

北田暁大（二〇〇五）『嗤う日本の「ナショナリズム」』日本放送出版協会。

ゲイツ・ジュニア、ヘンリー・ルイス（二〇〇九）『シグニファイング・モンキー　もの騙る猿／アフロ・アメリカン文学批評理論』松本昇、清水菜穂監訳、南雲堂フェニックス。

ゴールドファーブ、ジェフリー・C（一九九三）『シニカル社会アメリカ　民主主義をむしばむシニシズムの病理』山本満訳、ジャパン・タイムズ〔Jeffrey C. Goldfarb, *The Cynical Society: The Culture of Politics and the Politics of Culture* (Chicago: The U of Chicago P, 1991)〕。

佐藤信夫（一九九二）『レトリック感覚』講談社学術文庫。

佐藤信夫（一九九二）『レトリック認識』講談社学術文庫。

ソーカル、アランとジャン・ブリクモン（二〇〇〇）『「知」の欺瞞　ポストモダン思想における科学の濫用』田崎晴明他訳、岩波書店。

辻大介（一九九七）アイロニーのコミュニケーション論『東京大学社会情報研究所紀要』五五、九一−一二七。

仲正昌樹（二〇〇六）『「分かりやすさ」の罠　アイロニカルな批評宣言』ちくま新書。

バーザ、アレックス（二〇〇六）『ウソの歴史博物館』小林浩子訳、文春文庫。

ハッチオン、リンダ（二〇〇三）『アイロニーのエッジ　その理論と政治学』古賀哲男訳、世界思想社〔Linda Hutcheon, *Irony's Edge: The Theory and Politics of Irony* (Routledge, 1994)〕。

フォコニエ、ジル（一九九六）『メンタル・スペース　自然言語理解の認知インターフェイス』坂原茂他訳、白水社〔Fauconnier, Gilles (1985). *Mental Spaces: Aspects of Meaning Construction in Natural Language.* Cambridge, MA: MIT Press.〕。

ミカ、D・C（一九七三）『アイロニー』森田孟訳、研究社〔Muecke, D.C. (1982). *Irony and the Ironic.* Second ed. of *Irony.* London: Methuen.〕。

リーチ、ジェフリー・Nとマイケル・H・ショート（二〇〇三）『小説の文体　英米小説への言語学的アプローチ』筧壽雄監修、石川慎一郎他訳、研究社。
ローティ、リチャード（二〇〇〇）『偶然性・アイロニー・連帯』齋藤純一、山岡龍一、大川正彦訳、岩波書店。

【その他の参考文献　英語のもの】（アルファベット順）

Attardo, Salvatore (2000). Irony as relevant inappropriateness. *Journal of Pragmatics* 32, 793-826.
Booth, Wayne C. (1974). *A Rhetoric of Irony*. Chicago: University of Chicago Press.
Clark, Herbert H. and Richard J. Gerrig (1984). On the pretense theory of irony. *Journal of Experimental Psychology: General* 113 (1), 121-126.
Curco, Carmen (2000). Irony: Negation, echo and metarepresentation. *Lingua* 110, 257-280.
Fauconnier, Gilles (1997). *Mappings in Thought and Language*. Cambridge, MA: Cambridge University Press.
Fauconnier, Gilles and Mark Turner (2002). *The Way We Think*. New York: Basic Books.
Gibbs, Raymond W. (1994). *The Poetics of Mind*. Cambridge: Cambridge University Press.

Gibbs, Raymond W. and Jennifer E. O'Brien (1991). Psychological aspects of irony understanding. *Journal of Pragmatics* 16, 523-530.

Giora, Rachel (1995). On irony and negation. *Discourse Processes* 19, 239-264.

Grice, H. Paul (1975). Logic and conversation. In Cole, P. and J.L. Morgan (eds.), *Syntax and Semantics*, vol.3, Speech Acts, New York: Academic Press, 41-58.

Grice, H. Paul (1978). Further notes on logic and conversation. In Cole, P. (ed.), *Syntax and Semantics*, vol.9, Pragmatics, New York: Academic Press, 113-127.

Hamamoto, Hideki (1998). Irony from a cognitive perspective. In Carston, Robyn and Seiji Uchida (eds.), *Relevance Theory: Applications and Implications*, Amsterdam: Benjamins, 257-270.

Haverkate, Henk (1990). A speech act analysis of irony. *Journal of Pragmatics* 14 (1), 77-109.

Jackendoff, Ray (1975). On belief-contexts. *Linguistic Inquiry* 6, 53-93.

Jackendoff, Ray (1983). *Semantics and Cognition.* Cambridge, MA: MIT Press.

Kihara, Yoshihiko (2005). The mental space structure of verbal irony. *Cognitive Linguistics* 16 (3), 513-530.

Kreuz, Roger J. and Sam Glucksberg (1989). How to be sarcastic: The echoic reminder theory of verbal irony. *Journal of Experimental Psychology: General* 118 (4), 374-386.

Kumon-Nakamura, Sachi, Sam Glucksberg, and Mary Brown (1995). How about another piece of pie: the allusional pretense theory of discourse irony. *Journal of Experimental Psychology: General* 124 (1), 3-21.

Martin, Robert (1992). Irony and universe of belief. *Lingua* 87, 77-90.

Myers Roy, Alice (1977). Towards a definition of irony. In Fasold, Ralph W. and Roger Shuy (eds.), *Studies in Language Variation*, Washington, DC: Georgetown University Press, 171-183.

Quine, Willard Van Orman (1956). Quantifiers and propositional attitudes. *Journal of Philosophy* 53.

Russell, Bertrand (1905). On denoting. *Mind* 14, 479-493.

Seto, Ken-ichi (1998). On non-echoic irony. In Carston, Robyn and Seiji Uchida (eds.), *Relevance Theory: Applications and Implications*, Amsterdam: Benjamins, 239-255.

Sperber, Dan and Deirdre Wilson (1981). Irony and the use-mention distinction. In Cole, P. (ed.), *Radical Pragmatics*, New York: Academic Press, 295-318.

Sperber, Dan and Deirdre Wilson (1986). *Relevance: Communication and Cognition.* Oxford: Blackwell.

Sperber, Dan and Deirdre Wilson (1990). Rhetoric and relevance. In Wellbery, David and John Bender (eds.), *The Ends of Rhetoric: History, Theory, Practice*, Stanford: Stanford University Press, 140-155.

Sperber, Dan and Deirdre Wilson (1998). Irony and relevance: A reply to Seto, Hamamoto and Yamanashi. In Carston, Robyn and Seiji Uchida, *Relevance Theory: Applications and Implications*, Amsterdam: Benjamins, 283-293.

Sweetser, Eve and Gilles Fauconnier (1996). Cognitive links and domains: Basic aspects of mental space theory. In Fauconnier, Gilles and Eve Sweetser (eds.), *Spaces, Worlds, and Grammar*, Chicago: Chicago University Press, 1-28.

Williams, Joanna P. (1984). Does mention (or pretense) exhaust the concept of irony? *Journal of Experimental Psychology*: General 113 (1), 127-129.

Wilson, Deirdre and Dan Sperber (1992). On verbal irony. *Lingua* 87, 53-76.

木原善彦（きはらよしひこ）
1967年鳥取県生まれ。大阪大学大学院言語文化研究科教授。専門は現代英語圏文学。京都大学文学部卒業、同大学院文学研究科修士課程・博士後期課程修了。博士（文学）。2019年、ウィリアム・ギャディス『ＪＲ』（国書刊行会）で第５回日本翻訳大賞受賞。主な著書に、『ＵＦＯとポストモダン』（平凡社新書）、『ピンチョンの『逆光』を読む』（世界思想社）、『実験する小説たち』（彩流社）など。主な訳書に、アリ・スミス『両方になる』、リチャード・パワーズ『オーバーストーリー』（以上、新潮社）、ハリ・クンズル『民のいない神』、ベン・ラーナー『10:04』（以上、白水社）、デイヴィッド・マークソン『これは小説ではない』（水声社）など。

アイロニーはなぜ伝《つた》わるのか？

2020年１月30日初版１刷発行

著　者 ── 木原善彦
発行者 ── 田邉浩司
装　幀 ── アラン・チャン
印刷所 ── 近代美術
製本所 ── フォーネット社
発行所 ── 株式会社光文社
東京都文京区音羽1-16-6（〒112-8011）
https://www.kobunsha.com/
電　話 ── 編集部03（5395）8289　書籍販売部03（5395）8116
業務部03（5395）8125
メール ── sinsyo@kobunsha.com

　ISBN 978-4-334-04454-1

1022
不登校からメジャーへ
イチローを超えかけた男
喜瀬雅則

日大藤沢高校→不登校・引きこもり・留年・高校中退→渡米→新宿山吹高校（定時制）→法政大学→渡米――異色のベースボールプレーヤーのチャレンジし続ける生き様を活写！

978-4-334-04430-5

1023
掘り起こせ！ 中小企業の「稼ぐ力」
地域再生は「儲かる会社」作りから
小出宗昭

年間相談数4千超の富士市の企業支援拠点・エフビズ。そのモデルは今や全国に広がる普遍的方策だ。真の「強み」を見つけ、儲けに変えるノウハウを直伝。藻谷浩介氏との対談つき。

978-4-334-04423-7

1024
「マニュアル」をナメるな！
職場のミスの本当の原因
中田亨

ミスが多発する現場には、「駄目なマニュアル」があった！長年、人間のミスの研究を続ける著者が、マニュアル作りに悩む人のために、すぐに使える具体的なテクニックを紹介。

978-4-334-04431-2

1025
江戸の終活
遺言からみる庶民の日本史
夏目琢史

天下泰平の世に形成された「家」は肉親の死を身近にし、最期を悟った者は自らの教訓を込めて遺書を記した。近世人の言葉から当時の生き方と社会を読み取り、歴史学を体感する。

978-4-334-04433-6

1026
ビタミンDとケトン食 最強のがん治療
古川健司

末期がん患者さんの病勢コントロール率83％の「免疫栄養ケトン食」。そこにビタミンDの補給が加わることで、予想を超える効果が。学会も注目する臨床研究の結果を初公開！

978-4-334-04435-0

光文社新書

1027
死に至る病
あなたを蝕む愛着障害の脅威
岡田尊司

豊かになったはずの社会で、生きづらさを抱え、心も身体も苦しく、死にたいとさえ思う人が増え続ける理由は？ 我々が直面する「生存を支える仕組みそのものの危機」を訴える。

978-4-334-04436-7

1028
自画像のゆくえ
森村泰昌

画家はなぜ自画像を描くのか。自撮り／セルフィー時代の「わたし」とは？ 自画像的写真をつくりつづけてきた美術家が、約六〇〇年の歴史をふまえて綴る、「実践的自画像論」。

978-4-334-04437-4

1029
患者よ、医者から逃げろ
その手術、本当に必要ですか？
夏井睦

キズ・ヤケドの湿潤療法の創始者が、今も変わらない酷《ひど》い治療をメッタ斬り。豊富な症例写真を交えつつ、痛みや創感染、骨髄炎や院内感染の闇と真実に迫り、人体の進化史の新説も展開。

978-4-334-04438-1

1030
運気を磨く
心を浄化する三つの技法
田坂広志

あなたは、自分が「強運」であることに気がついているか／なぜ、志や使命感を持つ人は「良い運気」を引き寄せるのか——最先端量子科学が解き明かす「運気」の本質。

978-4-334-04439-8

1031
あなたのメールは、なぜ相手を怒らせるのか？
仕事ができる人の文章術
中川路亜紀

何かをお願いするとき、逆に何かを断るとき、あるいはお詫びするとき、できるだけ「短くて気持ちのいいメール」を書くにはどうすればいいのか。その秘訣と文例を大公開する。

978-4-334-04440-4

1032
なぜ「つい買ってしまう」のか？
「人を動かす隠れた心理」の見つけ方
松本健太郎
どの商品・サービスも「大体同じ」な今の時代に、人々が心の底から「欲しい」と思うものをどうすれば作れるのか？　気鋭のマーケターが「インサイト」に基づくアイデア開発を伝授。
978-4-334-04441-1

1033
データでよみとく 外国人〝依存〟ニッポン
NHK取材班
新宿区、新成人の2人に1人が外国人——。外国人の労働力、消費力に〝依存〟する日本社会の実態を豊富なデータと全国各地での取材を基に明らかにする。
978-4-334-04432-9

1034
売れる広告　7つの法則
九州発、テレビ通販が生んだ「勝ちパターン」
電通九州・香月勝行
妹尾武治
分部利紘
「作品」としての「広告」ではなく「売れる」広告を作るには？　通販広告のプロと心理学者2名がタッグを組んで、「売れる」鉄板法則と「A・I・D・E・A（×3）」モデルを徹底解説。
978-4-334-04442-8

1035
生命保険の不都合な真実
柴田秀並
人の安心を守るために生まれた生命保険が、人の安心を奪う——。大手や外資、かんぽ生命などの相次ぐ不祥事の背景にある、顧客軽視の販売構造と企業文化を暴く。
978-4-334-04443-5

1036
恥ずかしながら、詩歌が好きです
近現代詩を味わい、学ぶ
長山靖生
詩を口ずさみたくなるのは若者だけではない。歳を重ねたからこそ心に沁みる詩歌がある——。時代を作ってきた近現代詩歌を引きつつ、詩人たちの実人生と共にしみじみと味わう。
978-4-334-04444-2

1037
宇宙は無限か有限か
松原隆彦
宇宙は無限に続いているのか、それとも有限に途切れているのか。「果て」はあるのかないのか。現代の科学では答えの出ていない〝未解決問題〟を、最新の宇宙論の成果を交えて考察。
978-4-334-04445-9

1038
バンクシー
アート・テロリスト
毛利嘉孝
21世紀のピカソ？ 詐欺師？ ビジネスマン？ 反体制のヒーロー？ いったい何者なのか？ 活動の全体像、文化的文脈とは？ 多くの謎に包まれたアーティストに迫る格好のガイドブック。
978-4-334-04446-6

1039
つつまし酒
懐と心にやさしい46の飲み方
パリッコ
人生は辛い。けれども、そんな日々にも「幸せ」は存在する。いつでもどこでも、美味しいお酒とつまみがあればいい。「飲酒」と「酒場」を愛するライターによる〝ほろ酔い〟幸福論。
978-4-334-04447-3

1040
美を見極める力
古美術に学ぶ
白洲信哉
いまブームの日本美術。西洋美術との大きな違いは、実際に使うことで「美」を育てていくところにある。目利きになるための最良の入門書にして「特異な美」の深みへといざなう一冊。
978-4-334-04449-7

1041
続・秘蔵カラー写真で味わう60年前の東京・日本
J・ウォーリー・ヒギンズ
もっと見たい！ の声に応え続編。蔵出しのプライベート・フィルムの傑作も加え、選りすぐりの544枚を惜しみなく公開。東京&全国各地の昭和30年代の人々と風景がカラーで蘇る。
978-4-334-04450-3

1042
科学的に正しい子育て
東大医学部卒ママ医師が伝える

森田麻里子

ママであり医師でもある著者が、医学論文約１７０本を徹底リサーチして生まれた、いま最も「使える」育児書。世界の最新研究を知るだけで、もう育児に迷わない！　楽になる！

978-4-334-04452-7

1043
アルゲリッチとポリーニ
ショパン・コンクールが生んだ2人の「怪物」

本間ひろむ

「生きる伝説」２人はどんな人生を歩み、演奏スタイルを追求してきたのか。音楽的事象を軸に綴りながら、20世紀後半から現在までのクラシック音楽史を描き出す。【名盤紹介付き】

978-4-334-04453-4

1044
アイロニーはなぜ伝わるのか？

木原善彦

「言いたいことの逆」を言っているのに、なぜ相手に意図が伝わるのか？　人間が操る修辞の、技術的な結晶であるアイロニーの可能性を、古今東西の文学を通じて探っていく。

978-4-334-04454-1

1045
21世紀落語史
すべては志ん朝の死から始まった

広瀬和生

「志ん朝の死」で幕を開けた21世紀の落語界。その現在に至るまでの出来事を、落語ファンとして客席に足を運び続けた立場から振り返り綴る。「激動の時代」を後世に伝える一冊。

978-4-334-04455-8

1046
中学の知識でオイラーの公式がわかる

鈴木貫太郎

天才の数式は最低限の知識で誰でもわかる。数学０点で再生２２００万回超のユーチューバーが保証。動画もあるから迷わない。目指すのは丸暗記ではなく真の理解。予習ナシで今出発！

978-4-334-04456-5